Adaptive Leadership

Harvard Business Review Press

어댑티브 리더십

1

발코니에 올라

변화를 이해하라

로널드 A.하이페츠 • 알렉산더 그래쇼 • 마티 린스키 지음

ginger T project
진저티프로젝트

일러두기

— "한눈에 보는 어댑티브 리더십"은 책의 이해를 돕기 위해 출판팀이 자료를 재가공
했다.
— 외국어표기는 국립국어원의 외래어표기법과 용례에 따라 표기했으며 최초 1회
병기를 원칙으로 했다. 단 독자의 이해에 필요한 경우 재병기하였으며, '어댑티브
리더십'과 '어댑티브 챌린지'의 표기는 본연의 의미를 살리고자 원어 그대로 표기
했다.
— 전집, 총서, 단행본, 잡지 등은 《 》로 표기했다.

2006년 봄, 어느 아름다운 저녁에 우리 셋은 로널드의 집에서 보스턴 레드삭스의 경기를 보고 있었다. 보스턴 레드삭스는 경기를 잘 풀어가고 있었고, 대화는 자연스럽게 리더십에 관한 것으로 흘러갔다. 우리는 지난 25년 간 리더십 위기 속에서 리더십 이론들을 적용하며 고군분투하는 수많은 고객과 학생들을 만나왔고, 리더십에 대해 더 많은 것을 이해하게 되었다. 이 책은 바로 그날 저녁의 대화로부터 시작되었다.

이전까지 우리의 책은 어댑티브 리더십adaptive leadership, 변화 리더십의 개념적 틀과 실천적 배경을 마련하는 데 초점을 두었다. 그러나 우리는 그날의 대화를 통해 어댑티브 리더십을 실천하는 방법에 대한 지식이 상당히 쌓였다는 것을 깨달았다. 그동안 세계 곳곳의 영리 및 비영리, 공공 영역의 사람들과 일하면서 어댑티브 리더십의 기술과 도구들을 실시간으로 적용해 볼 수 있었다. 그날 저녁 우리는 현장에서 검증된 좋은 사례들과 깨달음을 많은 사람과 나누고 싶어졌다. 아니, 널리 알려야 한다는 일종의 사명감까지 느꼈다. 어댑티브 리더십을 위한 전략과 도구들은 오픈소스 기술처럼 널리 보급되어야 한다. 이를 통해 변화를 이끄는 사람들이 서로 배우고 역량을 키워 더 깊이 있는 실천을 할 수 있을 것이다.

그날 우리는 최근에 일했던 몇몇 고객에 관해서도 이야기를 나누었다. 게일은 자신의 업무뿐만 아니라, 끊임없이 발생하는 내외부적 압력을 동료들이 잘 해결하도록 돕고 있었다. 드류는 회사가 더 높은 목표를 성취할 수 있도록 인정받던 직책을 포기하고 익숙지 않은 새로운 역할을 기꺼이 맡았다. 에드는 전도유망한 안정된 직업을 버리고 지역의 어려운 사람들을 위한 기관을 설립했다. 그는 지역사회의 변화를 위해서는 신중한 접근이 필요하다는 것을 알고 있었다. 클리브와 브라이언은 정부 고위 관리자들의 리더십 개발을 위해 상당한 위험을 감수하고 있었다. 고위 관리자들이 더 창의적으로, 용감하고 현명하게, 협업과 혁신을 이끌도록 하기 위함이었다. 데비는 그가 속한 종교 단체에 리더십이 꼭 필요하다고 생각했다. 그는 리더십 자질에 대한 조직 내 이해를 변화시키려고 직책을 잃을 위험까지 감수했다.

이들은 자신과 공동체를 위한 어댑티브 챌린지에 직면했다. 변화를 위해 자신이 받는 기대 이상의 행동을 해야 했고, 인간관계가 흔들리는 위험을 감수하며, 자신과 공동체를 미지의 영역으로 이끌어야 했다. 자신의 자원과 한계를 현실적으로 진단하고, 익숙한 행동 방식을 버려야 했다. 무엇보다 상황을 냉철하게 진단해야 했다. 조직 전략에서 어떤 가치들이 충돌하는지, 현재 상황이 누구에게 유리한지, 현재의 균형을 유지하면서 변화를 촉진할 수 있도록 이해 관계자들의 역학 관계를 이해해야 했다. 이들은 실행을 통해 배우고, 시행착오를 통해 궤도를 수정하며, 주어진 여정을 걸어갔다. 위험을 두려워하지 않고 변화를 이끄는 이들의 여정은 무용담과도 같다. 그 여정은 위험하고 불확실하다. 좌절을 겪기도 하고 상황에 따라 자신을 변화시켜야 한다. 이들의 여정은 끝나지 않았고, 리더십 과업은 계속되고 있다.

우리는 다양한 현장과 수업에서 함께한 여러 사람의 경험을 이 책에 담고 싶었다. 이 책의 모든 내용은 우리 고객과 학생들 사례에 바탕을 두었다. 실질적인 도움이 되도록 구체적이고 적용 가능한 자료와 도구들을 담았다. 우리 고객과 학생들은 변화의 최전선에서 여러 방법을 시도하며 역량과 기술을 단련해왔다. 우리는 그들의 경험에서 나온 깨달음을 전달할 뿐이다. 소중한 가르침을 전해준 수많은 현장의 리더들과 학생들에게 이 책을 바친다.

중간관리자 시절에 경험했던 번아웃을 계기로 '비영리 섹터에서 일하는 이들이 건강하게 성장하려면 어떤 변화와 시스템이 필요할까'하는 고민이 있었다. 그 시점에 스터디를 하던 세 명의 경력 보유 여성들을 소개 받았고, 오랜만에 다시 일을 시작하는 이들은 조심스럽지만 반짝이는 눈으로 '조직과 개인을 위한 건강한 실험'을 하고 싶다고 했다. 그리고 전통적이지 않은 출판 과정이지만 학습과 협업을 통해 《어댑티브 리더십》이라는 책을 만들었다며 건넸다.

지금은 어쩌다 보니 그때 그 여성들이 만든 '진저티프로젝트'라는 회사의 공동대표가 되었고, 이 책은 길을 헤매는 초보 대표에게 때로는 급발진 브레이커가 때로는 나침반이 되어 주고 있다.

코로나 바이러스에 걸려 온몸에 열꽃이 피었을 때에도 신경 써야할 문제들로 마음은 어지럽고 몸은 말을 듣지 않아 무거운데 동료와의 관계도 삐거덕거렸다. 무엇이든 점진적으로 하나씩 오면 좋을 텐데 항상 동시다발적으로 몰려와 압도되는 상황들을 마주한다. 문제를 해결해야겠다는 본능은 성급하게 행동을 취하고 싶지만 책에서 배운 대로 지금 일어나고 있는 일에서 거리를 두고 전체를 조망해 본다. 마음먹은 만큼 잘 되지 않을 때도 많다. 하지만이 모든 것은 리더십 근육을 성장시키는 과정이기에 회고와 실전연습만이 살 길이다.

지난 2년간 코로나 팬데믹을 겪으며 전통적인 방식과 역사, 정체성으로부터 조직과 개인 모두가 혁명적 변화에 맞서고 있기때문일까.《어댑티브 리더십》원서의 초판이 2009년에 나왔지만그 어느 때보다 해외에서는 관련 비즈니스 아티클이 쏟아지고 국내에서도 중쇄 요청이 들어온다. 변화의 중력에 모두가 압력을 받는 요즘 리더의 자리에 있는 사람만이 리더십을 발휘하던 시대는이제 지났다. 모두가 리더십을 조금 더 발휘하면 이 세상은 좀 더좋은 곳이 될 것이라 저자들이 믿었듯 리더십은 '직위'의 문제가아니라 '행동'의 문제이며, 새로운 시대에 이전에는 시도되지 않은실험을 해나가면서 해결책을 도출해 나가는 리더십, 변화 적응 역량을 가진 사람들은 누구나, 어느 자리에서나 발휘할 수 있는 어댑티브 리더십이 필요한 시점이다.

이번 출판 과정도 초판 때와 같이 전형적이지 않은 방식을 택했다. 구성원 모두가 한 번도 해보지 않은 역할을 맡아 이 책을 만드는 과정에 각자의 방식으로 기여했다. 급변하는 시대에 위기와 기회를 동시에 겪으며 살아남기 위해 애쓰는 이들에게 진심으로 이정표가 되어주길 바라며 우리부터가 이 변화 리더십과 실험에 기꺼이 투자한 시간들이었다. 고군분투하는 변화의 현장에서 전우애를 통감할, 수많은 개인과 조직에 이 책을 바친다.

마지막으로 초판을 발행할 때 기꺼이 출판사가 되어 준 슬로워크와 번역검수를 함께 한 이들, 우정의 마음으로 추천사를 써준 이들, 그리고 펀딩 참여자 한 분 한 분께 진심으로 감사드린다.

김고운 / 진저티프로젝트 공동대표

어댑티브 리더십을 '어댑티브 리더답게 학습하는 더 좋은 방식'은 무엇일까?

개인적으로는 '혼자 시작하지 말라'는 금언을 가장 먼저 실천해 보았다. 지난 몇 년간 수백 명의 리더들에게 이 책을 추천했고, 실험적 방식으로 이 책을 함께 공부하는 몇 개의 모임을 만들어서 운영했다. 단순히 콘텐츠를 습득하는 학습보다는, 이 책에 담긴 철학과 방법론을 기반으로 학습자 간에 더 많은 상호작용이 일어나는 방식을 택했다. 과거와 현재 자신의 변화 경험을 발표하고 나누기도 했다. 단순히 책을 읽고 지식을 쌓는 것이 목적이 아닌, 각자 자리에서 고민하고 있는 변화 적응 과제를 나누고, 실천할 수 있는 지혜를 나누는 실험적인 학습공동체community of practice를 만들고 싶어서 였다.

어댑티브 리더십을 공부하는 과정에서 우리는 성급하게 행동하는 것을 멈추고 어댑티브 챌린지를 이해하고, '발코니에 올라'서 관찰하는 역할을 배우려 했다. 새롭게 변화된 환경 속에서 요구되는 변화를 기술적 문제와 변화 적응적 도전으로 구분해 보기도 했다. 적절하지 못한 우리 조직의 구조와 문화 관행 혹은 문제인 '방 안의 코끼리'를 숨기지 않고 직면해 이야기 나누면서, 리더혼자서 뭔가를 하려고 하기보다는 조직의 역학관계를 이해하고, 갈등을 조율하면서, 구성원들의 입장에서 기꺼이 변화에 참여할수 있는 '시스템의 온도'를 높이고 변화를 이끌어낼 효과적인 실행 안을 디자인하는 법을 도출해 보기도 했다. 자신이 어떤 자극에 반응하는지 자각하고, 역량과 인내심을 확장하는 방법을 모색하며, 어댑티브 챌린지에서 자신의 목적을 분명히 세우고 '내면의현'을 조율하는 각자의 방법을 서로 나눴다. '나만의 실험실'을 통해 실패를 능동적으로 활용하는 실험적 사고방식, 사람들과 함께하는 법, 안아주는 환경을 만들어가는 법을 학습하기도 했다.

조직을 이끌고 있거나, 리더십에 관심을 가진 이들에게 이책을 추천하고 매월 정기적으로 모여 짧게는 3개월에서 길게는 1년간에 걸쳐 《어댑티브 리더십》을 공부하는 조직을 여럿 만들었다. 그 이후 코로나19로 인해 발생한 팬데믹 상황이 발생했고, 각조직의 리더들은 불가항력적으로 이 책에서 말한 '어댑티브 챌린지'에 직면하게 되었다. 아직도 이러한 변화에 적응하지 못하고 고군분투 중이라고 하는 분들도 있고, 오히려 고객의 수가 증가하고, 직원들의 평균 근속 기간이 늘어났다며 좋은 소식을 나눠주시는 분들도 있었다. 몇 년 전에 이 책을 깊이 공부하고, 어댑티브 리더십의 언어와 접근법을 익혀두길 잘했다는 성찰을 나누기도 했다.

돌이켜보면 이 책은 어댑티브 챌린지에 직면한 리더들을 위한 책이다. 고통과 위험을 기꺼이 감수할 정도로 보다 가치 있는 목표를 발견하는 법과 실제적인 변화를 만드는 기술을 익힐 수 있도록 돕고 싶어서 이 책을 썼다고 저자들은 말한다. 코로나19로 인한 팬데믹 상황과 메타버스와 같은 키워드로 급부상한 디지털 트랜스포메이션 등 거창한 변화를 언급하지 않더라도, 변화와 리더십은 긴밀하게 엮여있다. 따라가기 힘든 급변하는 환경과 변화 속에서, 과중한 압력과 사회적인 책임 속에서 고군분투하는 대다수의 리더들은 충분한 준비 없이 '어쩌다 보니' 리더가 되어 있는 자신을 발견한다. 극히 일부를 제외하고 리더가 되고자 리더가 된 것이 아니라, 자신이 맡은 일을 성실하고 효과적으로 수행하다 보니 자의와 상관없이 자신뿐만 아니라, 동료와 조직을 책임지는 위치에 이르게 된다.

예측하지 못했던 상황과 해결해야 하는 복잡하고 난해한 문제에 직면해, 그동안 쌓아온 자신감과 평정심이 무너지고, 무기력함과 삶에 대한 회의감 및 스트레스에 시달리는 리더들을 여전히 만난다. 리더로 살아간다는 것은 왜 이렇게 힘겹게 느껴지는 것일까? 그저 버티면서 개인적인 안위와 이익만 챙기면 안 될까? 홀로 고군분투하기를 그만두고 적당히 타협하며 살면 안 될까를 묻는 리더들에게 우린 무엇을 해 줄 수 있을까?

저자들이 이야기하듯 이 책은 '가능성'에 관한 책이다. 위험을 두려워하지 않고 변화를 이끌어가는 여정은 여전히 불가해하고 길을 잃기 쉬운 모험처럼 보인다. 하지만 실제로 리더들은 온갖 위험과 불확실성을 마주하고, 때로는 갈등과 좌절을 겪어야 했으며, 그때그때 상황에 맞추어 자신과 조직의 변화를 이끌어야 한다. 하버드 케네디스쿨의 로널드 A. 하이페츠와 그의 동료들이 쓴 이 책이 변화를 이끄는 여정에서 좋은 스승이자 친절한 가이드북이 되어줄 것이다.

박영준 / 《혁신가의 질문》 저자, 원키아 리더십센터 소장이 책이 내 눈길을 사로잡은 가장 큰 이유는 책을 소개한 진저티 프로젝트라는 흥미로운 실험적 조직 때문이다. 수년 전 KCOC와 진저티는 함께 리더십 대상 워크숍을 진행하였는데, 이때 진저티의 두 가지 특징이 내 눈길을 사로잡았다. 먼저 진저티는 책의 내용을 단순히 소개하는 데 그치지 않고, 이론을 현실에 적용하고 실질적인 변화를 만들어 가는 데 관심이 있었다. 그리고 이 변화를 다른 이들에게 전파하는데 그치는 것이 아니라, 자기 스스로 적용하면서 실천해나가는 조직이었다.

외교관으로 다양한 국가를 경험하면서, 캐나다, 스웨덴 근무 시절에 실험적인 조직들을 많이 만나고, 그들의 열린 사고방식에 부러움을 가졌었다. 그게 벌써 30년 전의 일이다. 열린 사고방식,

개방성에 주목한 것은 아마 외교관의 직업병 때문일 수 있다. 열린 사고방식과 개방성은 외교관의 필수 자질이기도 하다.

만일 외교관에게 호기심과 개방적 태도가 부족하다면 상대방과 이견을 조율하고 합의를 만들어내기 어렵다. 수년 전, 오랜 해외 근무를 마치고 귀국했을 때 만난 진저티와 같은 조직들은 나에게 이렇게 말하는 것 같았다. "우리 사회는 건강한 변화를 만들어 갈 수 있는 능력이 있고, 비록 생각만큼 빠르지 않아도 한 걸음씩 나아가고 있다."

지난 30여 년간 5대륙 7개국에 걸쳐 다양한 조직을 경험하면서, 머릿속을 떠나지 않은 질문이 있다. "조직과 나는 어떻게 변화에 적응할 것인가?" "조직과 나는 어떻게 변화를 이끌어 나갈 것인가?" 오랜 고민을 통해 얻은 내 나름의 해답은 '텍스트^{text}가 콘텍스트^{context}를 만날 때' 비로소 가능하다는 것이다.

텍스트가 이 책에 소개된 이론이라면, 콘텍스트는 내 삶의 현장이자 내가 속한 조직이다. 이론을 삶에서 실천하는 발걸음을 내딛지 않으면, 변화는 일어나지 않는다. 변화와 실천을 강조하는 피터 드러커의 책들은 항상 나의 스승이었다.

나에게는 꿈이 있다. 진짜가 많아지는 사회다. 진정성authentic 을 가진 사람과 조직이 많아지는 사회가 바로 그것이다. 말하는 것과 살아내는 것을 일치시킬 수 있는 조직, 각자의 가치와 신념 을 행동과 일치시키는 사람! 우리 사회에 이런 조직과 사람들이 많아질 때, 밝은 세상이 우리의 미래가 되지 않겠는가? 밝은 미래 를 앞당기는데 이 책이 촉매제가 될 수 있을 것이라 생각한다.

조대식 / KCOC국제개발협력 민간협의회 **사무총장**

목차

한눈에 보는 어댑티브 리더십

어댑티브 리더십의 여정을 위해 생각해 볼 4가지

1. **변화를 이끄는 여정을 혼자 시작하지 말라**
2. **인생을 리더십 실험실처럼 살아라**
3. **성급하게 행동하지 말라**
4. **어려운 선택을 통해 새로운 즐거움을 발견하라**

	진단하기	행동하기
조직 system	**방 안의 코끼리** 시스템을 진단하라 · 조직의 구조와 문화, 관행을 진단하라 · 기술적 문제와 어댑티브 챌린지를 구별하라 · 조직의 정치적 관계를 진단하라	**시스템의 온도** 시스템을 움직이라 · 문제를 다양하게 해석하라 · 변화를 이끌어낼 효과적인 실행안을 디자인하라 · 정치적 관계를 고려하여 행동하라 · 갈등을 조율하라
자신 self	**내면의 현** 나를 들여다보라 · 자신의 충성심을 인식하라 · 자신의 내면의 현이 어떤 자극에 반응하는지 이해하라 · 대역폭-역량과 인내심-을 확장하라 · 자신의 역할과 권한범위를 이해하라 · 목적을 분명히 하라	**나만의 실험실** 나를 실험하라 · 목적이 살아있도록 하라 · 자신의 실패를 허용하라 · 사람들과 함께하라 · 실험적 사고방식을 가져라 · 자신을 안아주는 환경을 만들어라

1

변화를 이해하라

Purpose & Possibility

왜 어댑티브 리더십인가?

이 책은 급변하는 세상에서 조직과 공동체가 번성하기를 원하는
이들을 위한 것이다. 이 책은 현재 직면한 중요한 도전에서 큰 변
화를 원하는 이들을 위한 것이다. 이 책은 조직이나 공동체의 어
떤 위치에 있든지 리더십을 제대로 발휘하기 원하는 이들을 위한
것이다. 이 책은 리더십 트레이너, 코치, 컨설턴트, 퍼실리테이터,
동료로서 다른 사람들이 변화 역량을 키울 수 있도록 돕기 원하는
이들을 위한 것이다.

이 책은 가능성에 관한 것이다. 우리가 말하는 가능성은 막
연히 꿈을 꾸거나 그저 바라기만 하는 것이 아니다. 그것은 적극
적이고, 긍정적이며, 현실적이고, 용기를 내고, 의미 있는 진전을
만드는 가능성이다. 변화를 이끄는 리더십은 통찰력과 노력이 필
요하다. 이 책에 소개된 여러 도구와 전략들은 사람들을 이끌고
변화 속에서 생존하도록 돕기 위한 것이다. 그뿐만 아니라 사람들
에게 영감을 불어넣어 그들이 기꺼이 땀 흘리는 수고를 하고, 힘
든 도전을 해결하도록 돕기 위한 것이다. 우리는 다양한 분야, 문
화, 조직의 문제들을 해결하며 깨달은 점을 바탕으로 이 책을 썼
다. 그 문제들을 발전적인 방향으로 해결하는 데 함께 할 수 있었

던 것은 정말 큰 기쁨이자 축복이었다.

우리는 매우 특별한 시대를 살고 있다. 21세기로 접어들면서 국가, 문화, 경제적으로 세계화되고, 이런 시대적 전환은 더 나은 방식의 경쟁과 협업이 필요하다는 것을 일깨웠다. 경제 및 환경 영역의 상호 의존성은 더욱 깊어지고, 지속 가능한 세상을 위해서는 각 나라, 조직, 개인의 변화가 필요하다. 과거 유산에 담긴 지혜와 지식에서 가장 최선의 것을 취하고, 더는 유용하지 않은 것은 버리고 혁신해야 한다. 변화 자체를 위해서가 아니라 핵심가치와 역량을 보호하고 보존하기 위해 변화하고 혁신해야 한다.

이 일은 지나간 역사를 돌아보는 동시에 다가올 미래를 내다보는 쉽지 않은 과제다. 우리는 과거의 고통과 상처로부터 자신을 치유하는 새로운 방법들을 찾아야 한다. 식민 시대 이후의 세계관을 새롭게 구축하고, 남북 분단 과정에서의 상처를 치유하며, 독재 정권의 유산을 극복해야 한다. 한편 미래를 위해서는 아직 개발되지 않은 우리의 능력이 있음을 주목해야 한다. 우리 안에 내재된 시민 의식, 호기심, 공감 능력을 발휘할 때, 당면한 과제들을 해결하고, 꿈꿔온 세상을 만들어갈 수 있다. 이 시대는 새로운 방식의 삶을 요구한다. 우리는 자신을 변화시키며, 앞에 놓인 거대한 도전을 새로운 방식으로 해결해가야 한다.

《실행의 리더십, Leadership on the Line》이라는 책을 집필하고 있을 때 9·11 테러가 일어났다. 이번 책을 집필하는 동안에는 버락 오바마가 미국 대통령으로 선출되었고 세계 경제에는 위기가 닥쳤다. 9·11 사태와 세계 경제 위기는 이전 방식으로는 해결이 어려운, 새로운 성질의 과제다. 적절한 전문가만 찾으면 해결할 수 있다고 믿고 싶겠지만, 그렇지가 않다. 우리는 이런 과제를 어댑티브 챌린지adaptive challenge, 변화 적응적 도전라고 명명한다.

이는 도전적인 현실과 그 현실을 해결하고자 하는 열망 사이에서 비롯된 간극이다. 이 과제는 새로운 존재 방식과 대응책을 요구한다. 기존 지식이나 노하우를 반복적으로 적용하는 것과는 다른 방식의 대응책이 필요하다. 상황에 즉각적으로 대응하는 리더십 역량이 필요하다. 이전에는 함께해 본 적 없는 사람들과 소통하고, 새로운 시도를 이끄는 과정에 능통하며, 구성원들이 기존 지식을 뛰어넘는 해결책을 찾도록 돕는 리더십이 필요하다. 이것이 바로 이 책의 목적이다. 즉 리더십의 성장 과정과 사례들을 이해함으로써 개인과 조직이 당면한 어댑티브 챌린지를 해결하는 것이다.

높은 자리의 리더에게만 해결책이 있는 것은 아니다. 복잡하게 얽힌 문제들을 풀기 위해서는 오히려 다양하게 분산된 리더십이 필요하다. 가족, 지역사회, 조직 등 다양한 단위와 수준에서 만들어내는 새로운 해결책이 크고 복잡한 문제를 푸는 열쇠가 될 수 있기 때문이다.

어댑티브 리더십은 개인이 직면한 아니 세상이 직면한, 가장 중요한 도전에 맞서 변화를 만드는 방법론이다. 이 책에서 제시하는 개념과 방법론, 실행 전략은 개인적 야심을 넘어 공동의 목적을 향해 사람들을 움직이고자 할 때 도움이 될 수 있다. 어떤 사람은 리더십에 수반되는 고통과 위험을 기꺼이 감수할 정도로 가치 있는 목적을 찾는 데 어려움을 느낄 수 있다.

반드시 이루고 싶은 목적이 없다면 리더라는 어려운 역할을 맡거나, 상사나 배우자와 껄끄러운 대화를 시도하거나, 새로운 아이디어를 위해 위험을 무릅쓸 이유가 없을 것이다. 고된 노력과 힘든 상황을 가치 있게 하는 목적은 어떤 것일까? 어떤 목적이 힘든 상황도 견딜 수 있게 할까? 어떤 사람은 미지의 영역을 개척하고 실질적 변화를 만드는 것에 어려움을 느낄 수 있다. 그래서 이 책은 목적을 발견하는 것과 실질적 변화를 만드는 기술, 두 가지를 모두 다루려고 한다.

이 책은 가치 있는 목적을 실현하기 위한 행동지침을 담고 있다. 우리는 여러분의 개인적, 전문적 리더십 역량이 풍성해져 소중히 여기는 목적을 성취할 수 있기를 바란다.

1.1

이 책을 어떻게 활용할 것인가

How to Use This Book

이 책은 두 가지 의미에서 현장 수첩과 같다. 첫째, 더 나은 세상을 위해 애쓰는 수천 명의 사람과 일한 우리의 현장 경험이 고스란히 담겨 있다. 둘째, 리더십을 실천하는 현장에서 유용하도록 구성했다. 중요한 프로젝트를 추진하느라 고군분투할 때, '발코니에서 바라보기' 질문을 통해 프로젝트가 왜 뜻대로 진행되지 않는지 돌아보고, '현장에서 적용하기' 지침을 통해 다음 행동을 계획해볼 수 있다. 직원 퇴사율을 낮추기 위한 제도를 고민할 때나 중요한 고객과의 미팅을 앞두고 이 책을 읽고 있을 수 있다. 이 책의 인상적인 부분이나 도표를 활용해서 조직 문제 또는 가족 문제를 해결할 수도있다.

이 책은 유연하게 활용할 수 있다. 처음부터 끝까지 순서대로 읽거나 현재 직면한 문제와 가장 관련 있는 부분부터 읽어도 좋다. 이 책은 실제 사례와 개념을 포함한 도입, 본론, 결론으로 구성되었다. 어댑티브 챌린지에 적용할 수 있는 개념과 실행 방안을 쉽게 활용할 수 있도록 구성하고, 개별적 지침과 구체적 색인도 첨부했다.

이 책은 5부로 구성되었다. 1부는 전체적인 개요를 소개하고, 2부에서 5부까지는 〈그림1-1〉과 같이 어댑티브 리더십을 위한 네 가지 필수 실행 방안들을 다룬다. 2부에서 5부까지는 2X2 매트릭스로 구성되었고 꼭 순서대로 읽거나 활용하지 않아도 좋다. 가장 관련 있는 부분부터 시작하는 것을 추천한다.

〈그림1-1〉 어댑티브 리더십 매트릭스

사람들은 결단성 있는 행동으로 문제를 해결하는 데에 훈련이 잘되어 있다. 진흙탕 같은 상황을 헤집어 문제를 진단하는 것은 그다지 환영받지 못한다. 특히, 문제를 깊이 진단하는 것은 해결책을 기대하는 사람들을 오히려 불안하게 할 수 있다. 실행에 집중할 때는 조직 내 큰 흐름을 진단하기 어렵다. 즉각적인 해결책을 기대하는 사람들은 이메일 회신, 마감일 엄수, 업무 마무리 등 당장 처리해야 할 일에 집중하기를 원할 것이다.

시스템 또는 자신을 진단하기 위해서는 지금 일어나고 있는 일에서 거리를 두는 능력이 필요하다. 무도회장에서 '발코니에서 바라보기' 비유를 통해 거리를 둔다는 것이 무슨 뜻인지 설명하려고 한다. 무도회장에서는 함께 춤추고 있거나 주변에 있는 사람들만 보인다. 음악에 맞춰 춤을 추다 보면 파티가 매우 즐겁겠지만, 발코니에 올라가면 무도회장에 있을 때와는 사뭇 다른 광경이 보일 것이다. 시끄러운 밴드 연주 때문에 클럽 한쪽에서만 사람들이 춤추고 있거나, 음악이 빨라지거나 느려질 때마다 춤추는 사람들이 바뀐다거나, 춤추지 않고 그냥 서 있는 사람들도 보일 것이다. 이제 더는 파티가 즐겁게 느껴지지 않는다. 누군가 파티에 관해 이야기해 달라고 하면 클럽에만 있었을 때와는 전혀 다르게 묘사할 것이다.

발코니와 무도회장을 계속 오고 갈 때, 조직에서 일어나는 일을 지속적으로 진단하고, 필요한 행동을 취할 수 있다. 이 기술을 완벽하게 익히면 현재 일어나고 있는 일들을 관찰하면서 동시에 전체적인 흐름과 역학관계를 파악할 수 있다. 둘째, 조직에서는 어떤 이슈를 종종 개인의 문제로 여기거나 (조가 리더였다면 …했을 텐데), 문제 상황을 개인 간 갈등 때문이라고 판단하는 경향이 있다 (샐리와 빌은 업무방식이 맞지 않아서 협업을 못 한다). 이런 경향은 상황을 체계적으로 이해하는 것을 방해한다. 예를 들어 '전략적 선택에 대한 샐리와 빌의 상반된 관점은 자신의 업무와 자리를 지키려고 하기 때문이다'는 개인 간 갈등처럼 들리지만, 사실 이런 갈등은 개인적인 것이 아니라 구조적인 것이다. 조직의 구조적인 문제를 개인적인 문제로 여기지 않기 위해서, 시스템을 진단하고 행동한 후에 (외부에서 내부로), 개인에 대해 진단하고 행동하길 권한다 (내부에서 외부로).

그럼에도 불구하고, 시스템과 개인은 항상 동시에 움직인다. 어댑티브 리더십은 조직원들의 지속적 관여를 필요로 하는 반복적 활동이다. 어댑티브 리더십 역량을 강화하려면 시스템(진단, 행동)과 자신(진단, 행동) 중 무엇을 먼저 선택하든 일단 시작해야 한다. 어댑티브 리더십은 원하는 영역 어디서든 시작할 수 있다. 시스템이나 자신을 진단하는 것부터 시작할 수도 있고, 시스템이나 자신과 관련된 행동을 취하는 것부터 시작할 수도 있다.

들어가면서

이 책에는 변화 적응적 과업을 수행하는 데 도움이 되는 개념, 참고자료, 연습문제, 사례들이 담겨 있다. 각 장에는 구조화된 개념과 사례를 통해 자신의 경험을 회고하도록 '발코니에서 바라보기'를 제시하고, 실전 연습을 돕기 위해 '현장에서 적용하기'를 마련했다. '발코니에서 바라보기'는 제시된 사례와 개념을 자신의 경험에 비추어 생각할 수 있도록 구성했다. '현장에서 적용하기'는 리더십을 실천할 때 시도해볼 수 있는 위험이 낮은 실행 방안으로 구성했다. '발코니에서 바라보기'는 혼자 조용히 읽고 생각해봐도 좋다. '현장에서 적용하기'는 다른 사람들과 함께해보기를 권한다.

이 책에서 제시된 개념들은 어댑티브 리더십의 이론적 토대를 만들었던 두 권의 책《하버드 케네디 스쿨의 리더십 수업, Leadership Without Easy Answers》,《실행의 리더십, Leadership on the Line》에 기초를 두고 있다. 어댑티브 리더십을 더 잘 이해하기 위해 두 책을 모두 읽을 필요는 없지만, 전체적인 이론적 구조를 이해하는 데에는 도움이 될 수 있다. '1.2. 어댑티브 리더십이란'은 어댑티브 리더십에 대한 기본 개념을 정리했다. 이 개념에 익숙하다면 복습 차원으로 활용할 수 있고, 아직 익숙하지 않다면 기초적 이해를 구축하는 차원에서 활용하면 좋을 것이다. 나머지 부분에는 실제적 적용을 위한 이론이 약간씩 담겨 있다.

이 책의 참고 자료들은—도구, 목록, 표, 차트, 생각거리, 연습 문제 등—여러 영역(공기업, 사기업, 비영리 분야)의 다양한 고객사들과 일한 경험을 토대로 개발되었다. 뷔페처럼 다양하게 구성된 자료들이 당면 과제를 해결하고 의미 있는 변화를 이끄는 데 도움이 되기를 기대한다.

이 책의 참고 자료들은 다양한 조직에서 사용될 수 있도록 개발되었다. 어댑티브 리더십에서는 공동의 개념과 언어를 사용하는 것이 중요하다. 동일하게 이해할 수 있는 언어를 사용할 때 효과적인 소통이 가능하고, 오해가 줄고, 동질감은 높아진다. 심각한 견해 차이 때문에 갈등이 심해진 상황에서도 이런 효과는 나타난다. 어댑티브 리더십을 위해 개발된 언어는 조직에서 일반적으로 사용하는 언어보다 훨씬 더 강력하고 생산적인 변화를 이끌어 낼 수 있다. 물론 이 언어가 완벽하다는 것은 아니다. 하지만 지난 25년 동안의 경험을 통해, 조직을 진단하고 행동을 실천할 때, 어댑티브 리더십 언어를 사용하는 것이 상당히 새롭고 효과적이었음을 확인했다. 어댑티브 리더십과 관련된 언어는 이 책 마지막 부분 '용어 해설'에 정리했다.

이 책의 연습 문제들은 변화를 이끌기 위한 구체적 단계를 제시한다. 변화를 이끌 때 유용한 도구로 연습 문제들을 사용할 수 있다. 어댑티브 리더십은 과학이라기보다는 예술에 가깝다. 실험 정신이 필요한 예술 말이다. 연습 문제들은 개별적으로 또는 다른 연습 문제들과 함께 실행했을 때 모두 좋은 결과를 만들었다. 하지만 실행은 결코 간단하지 않다. 상황에 따라 결과는 달라질 수 있다. 어댑티브 리더십의 많은 일은 상당히 반복적이다. 무엇인가를 시도하고, 진행 상황을 확인하고, 결과에 대해 학습하고, 또 다른 것을 시도하는 과정이 반복된다. 이 과정을 함께 할 사람을 선택하고, 당면 과제의 성격을 고려하여 어떻게 이 실험을 해나갈지 조율할 수 있다.

　이 책의 사례들은 조직 및 공동체가 도전에 직면했을 때 긍정적이고 지속적인 변화를 이끌기 위해 고군분투했던 사람들의 이야기이다. 이 사례들은 (1) 경영 컨설팅 및 수업에서 (2) 우리 자신의 개인적, 직업적 도전들로부터 (3) 그 외에 리더십 속성을 잘 조명해주는 서적, 사례 연구로부터 나왔다.

어댑티브 챌린지와 변화 적응 역량

고객사들은 어댑티브 챌린지에 직면했을 때 우리를 찾는다. 매우 빠르게 성장하며 엔터테인먼트 분야까지 사업을 확장한 디자인 홍보 회사는 최근 성장세에 정체가 왔다. 회사 대표가 운영에 치중하느라 성장 전략을 집중적으로 고민할 수 없었기 때문이다. 임원진은 대표에게 의존적이었고, 대표 또한 자신이 잘하는 운영 업무를 다루는 것이 편했다. 하지만 사업이 성장할수록 현재 업무 방식이 지속 가능하지 않다는 것을 깨닫고, 결국 우리를 찾아왔다. 이 조직은 운영을 분산시켜 대표 의존도를 낮추고, 조직의 성장을 위해 구성원들의 리더십 역량을 키워야 하는 과제, 즉 어댑티브 챌린지에 직면해 있었다.

고객사들은 외부에서 거대한 변화가 감지되지만 조직은 변화에 적응할 준비가 안 되어있다고 느낄 때, 우리를 찾는다. 우리의 일은 그 상황을 근본적으로 해결할 수 있는 큰 차원의 관점을 제시하는 것이다. 즉 고객사들의 변화 적응 역량adaptive capacity을 키우는 일이다. 최근에 상당히 높은 수익을 낸 글로벌 금융회사와 일한 적이 있다. 조직원들의 만족도는 높은 편이었지만, 경영진은 복합적인 요인들로 인해 성장 가능성이 매우 나빠질 수 있음을 감지하고 있었다. (1) 새로운 시장에 민첩하게 대응하는 경쟁사들이 늘고, (2) 경쟁사보다 규모가 큰 회사를 인수한 후 갈등을 겪는 중이었으며, (3) 해외 지사와 공통의 목표를 세우는 것에 어려움을 겪고 있고, (4) 차세대 리더를 위한 리더십 양성 코스가 미비했다. 이 중 하나만을 선택적으로 해결하는 것은 근본적이고 포괄적인 해결이 아님을 알고 있었다. 예측이 어렵고 경쟁적으로 급변하는 환경에서 새로운 방식의 생존법을 터득해야 했다. 조직의 역량을 키우기 위해 지속적으로 일어나는 어댑티브 챌린지의 흐름을 파악하면서 동시에 급작스럽게 발생하는 위기 또한 해결해야 했다.

이 책에 소개된 연습 문제들은 특정한 어댑티브 챌린지를 해결하기 위해 활용할 수도 있고, 조직 전반의 변화 적응적 문화 adaptive culture를 만들기 위해 활용할 수도 있다. 두 상황은 매우 긴밀하게 연결된다. 어댑티브 챌린지를 성공적으로 해결하면, 조직 내 변화 적응 역량이 그만큼 자라면서 더 큰 변화 과제에 대처할 수 있다. 한편 변화에 대응하는 조직의 문화적 경향성을 이해하는 것도 중요하다. 조직에 내재된 가치 판단을 이해하면, 현재 조직이 직면한 도전을 조금 더 쉽게 파악하고 해결할 수 있다.

어댑티브 리더십이란?

The Theory Behind the Practice

이 책은 리더십과 시스템, 변화와 적응 간의 관계를 실질적으로 이해해보려는 노력에서 시작되었다. 이 접근 방식은 인류의 진화와 생명의 기원을 다루는 자연과학 이론들과 깊이 연관되어 있다.

초기 인류는 무리를 지어 이동하며 사냥을 했고 이는 약 4백만 년 동안 지속되었다. 시간이 지나면서 인류는 사냥과 이동에 필요한 도구를 더 정교하게 만들고, 더 세련된 전략을 구사했다. 진화와 변화를 거치며 활동 범위를 넓힐 방법들을 찾아냈고, 신체적 능력도 발전했다. 인류학자 및 심리학자들에 따르면 인류가 윗세대의 지혜를 내재화하면서 문화 규범이 발전하게 되었다. 문화 규범은 권위자의 개입 없이도 지속해서 작동될 수 있었다. 인류는 약 1만2천 년 전부터 농사를 짓고 가축을 기르고, 정착지에서 식량을 수확 저장하는 새로운 능력을 발전시켰다. 이와 같은 문화 규범 덕분에 인류는 놀라운 적응력을 발휘하며 빠르게 영역을 확장할 수 있었으며, 많은 사람이 함께 모여 살면서 조직과 공동체를 이끌어가는 법을 배워야 했다.

인류는 새로운 기회와 위기를 끊임없이 겪으며 적응과 진화를 이어왔다. 시대를 거치면서 공동체의 규모, 구조 및 체제에도 성장과 변화를 이루었다. 정치와 경제 조직이 구분되고 서로 균형을 이루며 발전했다. 이런 변화 과정에 어떻게 대응해야 하는지도 점점 깊이 이해하게 되었는데, 우리가 어댑티브 리더십이라고 부르는 개념은 그렇게 발전한 것이다.

어댑티브 리더십은 당면한 거센 도전을 극복하며 성장하고 번성하도록 이끄는 것이다. 번성thrive이라는 개념은 진화 생물학에서 나왔다. 성공적 진화에는 세 가지 특징이 있다. 첫째, 종(種)의 지속적인 생존을 위해 핵심 유전자를 보존한다. 둘째, 더 필요하지 않은 유전자는 버리거나 수정하거나 재배열한다. 셋째, 유전자를 새롭게 배열하여 위기 속에서도 새로운 방식으로 성장하고 번성한다. 따라서 성공적 진화란 이미 가지고 있는 가장 뛰어난 요소를 취해 미래로 가져가는 것이다.

우리는 진화 개념을 이용해 어댑티브 리더십의 핵심을 다음과 같이 설명할 수 있다.

변화에 적응하는 리더십은 무엇보다 변화에 관한 것이다
변화란 조직의 역량을 성장시키는 것이다

변화된 환경과 새로운 비전은 이전과는 다른 전략과 역량, 이를 실천할 수 있는 새로운 리더십이 필요하다. 진화 관점에서 보면, 조직이 위기 상황에 부닥쳤을 때 새로운 조합과 변이를 시도하는 것이 조직을 더욱 번성하게 한다. 새로운 조합과 변이가 없는 조직은 축소, 퇴화 또는 소멸한다. 따라서 리더는 그동안 당연시했던 가치, 목적, 과정에 대해 깊이 고민해보아야 한다. 지금과 같은 상황에서 조직이 번성한다는 것은 어떤 의미일까? 생물학에서 '번성한다'는 것은 개체가 증식한다는 의미다.

반면, 기업이 번성한다는 것은 장·단기적으로 주주 가치가 성장하는 것, 탁월한 고객 서비스를 제공하는 것, 직원의 사기가 높아지는 것, 사회와 환경에 긍정적 영향을 미치는 것 등을 의미한다. 따라서 조직의 성공적 진화를 위해서는 다양한 이해관계자의 우선순위를 조율하며, '번성'하는 것이 무엇인지 이해하고, 이에 따라 실행하는 리더십이 필요하다.

성공적으로 변화에 적응한다는 것은 과거를 버리는 것이 아니다
진정한 변화는 과거의 토대 위에 구축하는 것이다

생물학적 진화에서 종의 번식력은 유전자 변화로 급격히 확대된다. 하지만 사실 유전자의 매우 적은 부분만이 변화한다. 인간 유전자는 침팬지와 98% 이상이 동일하다. 2% 이내에서 일어난 진화가 인간에게 탁월한 능력을 부여한 것이다. 어댑티브 리더십은 조직의 전통 중에서 무엇을 보존하고 버릴지 구분하는 것이다. 조직의 성공적 진화는 보수적이면서 진보적이다. 또한 과거의 지혜와 지식을 최대한 이용하는 것이기도 하다. 따라서 효과적인 리더십이란 조직이 지속해야 하는 가치, 역량, 전략을 유지하며 변화를 만들어가는 것을 의미한다.

조직의 진화는 실험을 통해 일어난다

생물학에서 유성생식sexual reproduction은 빠르게 변이를 만들고, 실패율도 높은 일종의 실험이다. 모든 임신의 약 3분의 1은 수정 후 수주 내에 자연 유산되는데, 이는 태아의 유전적 변화가 너무 급격해서 생명을 유지하지 못하는 것이다. 조직에서도 이와 유사한 과정을 발견할 수 있다. 거대 다국적 제약 회사는 신약 개발의 성공을 위해 투자 실패를 기꺼이 감수한다. 새로운 진화를 위해서는 이런 실험 정신이 필요하다. 실험을 통해 상황에 대처하는 법을 배우면서, 또 다른 실험을 위한 시간과 자원을 확보해야 한다.

진화와 적응은 다양성이 필요하다

진화생물학적 관점으로 보면 자연은 마치 펀드 매니저가 리스크를 관리하는 것과 비슷하다. 즉 자연은 개체의 다양성을 늘리는 방향으로 움직인다. 생식의 결과로 수정conception이 되면, 새로운 실험이 일어난 것으로 볼 수 있다. 기존 개체들과는 다른 능력을 지닌 유기체가 탄생한 것이다. 생물 종(種)의 유전자가 다양해지면 급격히 변하는 환경에서 생존 가능성은 확연히 커진다.

이와 반대로, 생식의 다른 방식인 복제는 번식률이 높아 매우 효율적이지만 유성생식보다 변이 다양성은 현저히 낮아진다. 따라서 유전자 복제를 통해서는 급변하는 환경에 성공적으로 적응할 수 있는 혁신적인 개체의 출현이 어렵다. 진화의 비밀은 다양성에 있다. 조직 용어로 표현하면, 다양성은 '분산형 지성' 또는 '집단 지성'이라 할 수 있다. 다양성을 중시하는 어댑티브 리더십 관점의 경제 정책은 특정 회사 및 산업의 의존도가 높지 않은 다각화된 경제 체제일 것이다.

조직에서 어댑티브 리더십은 다양한 의견을 존중하고, 중앙 집중적 방식을 줄이고, 엘리트에 대한 의존도를 낮추는 것이다. 특히 조직 상층부에 집중된 의사 결정 구조는 조직 생존력과 적응력을 약화한다. 전 세계에 지사를 두고 있는 다국적 기업들에 이런 경향이 있다.

진화는 낡은 유전자 일부를 대체하고, 재조정하고, 재정립하는 것이다

혁신을 위해 리더십을 발휘하다 보면 '손실loss'이 생기게 마련이다. 학습 과정에는 고통이 따른다. 혁신을 이끌어 갈 때, 무력감, 배신감, 혹은 무관심을 표현하는 사람들이 생기기도 한다. 조직이 '재정립'되는 것을 반기는 사람은 많지 않다.

따라서 리더에게는 진단 능력이 특히 요구되는데, 여기서 진단이란 어떤 손실이 발생하는지 제대로 인지하고, 혁신에 대해 개인이나 조직이 어떤 유형의 방어적 반응을 보일지 예측하는 것이다. 그리고 더 나아가 방어적 반응에 어떻게 대처할지도 알아야 한다.

변화 적응은 시간이 걸린다

대부분의 생물학적 진화는 수천 년, 아닌 수만 년에 걸쳐서 종(種)의 번식력을 높여왔다. 진화는 급격히 일어난 듯 보이지만 사실 이 변화는 꾸준히 축적되어 온 결과이다. 진화 과정은 다음과 같다. 종의 개체 중 변이 하나가 정상 범주에서 약간 벗어나는 형태의 모험을 통해 새로운 변화 적응력을 가진다. 이 모험은 자신과 후손들이 견뎌낼 수 있는 한계점을 시험해보는 것이다.

예를 들어 어떤 사람이 지금 거주하는 환경보다 더 춥거나 혹은 더 높은 곳으로 이동해 그곳도 살 만하다는 것을 깨닫는다. 이 시도를 통해 다음 세대는 새로운 환경에 얼마나 더 잘 견딜 수 있는지 시험을 받게 되고, 결국 강한 적응력을 보이는 변이들이 생겨난다. 이와 같은 방식이 반복되며 새로운 적응력이 강화된다. 그 환경을 견디는 것이 후손들에게 더는 힘들지 않다. 그 환경이 한계점이 아니라 일반적인 수준이 된 것이다. 진화를 통해 추위를 차단하는 지방층 분포가 달라지고, 체온을 유지하는 모세 혈관도 변화한다. 후손 중 일부가 새로운 모험을 시도하면서 진화는 계속된다. 조직이나 정치에서 일어나는 진화는 생물학적 진화에 비해 엄청나게 빠르게 느껴지지만, 새로운 기준과 체계가 수립되는 데에도 시간이 꽤 필요하다. 따라서 어댑티브 리더십에는 인내가 필요하다. 의미 있는 변화는 긴 시간동안 수많은 실험이 축적된 결과물이기 때문이다. 무엇보다 문화는 천천히 변한다. 따라서 어댑티브 리더십은 어려움이 있어도 지치지 말고 인내해야 한다.

단기적으로 리더가 반드시 해야 할 일은 당면한 변화를 조직원들이 제대로 직시하게 하는 것이다. 이와 같은 단기적 노력에 조직 문화를 구축하려는 노력이 더해져 조직의 변화(혁신) 역량이 강화된다. 이 과정에서 새로운 규범들이 형성되고, 새로운 규범들을 통해 끊임없이 밀려오는 새로운 현실, 기회, 위기들을 해결해간다. 즉 어댑티브 챌린지를 해결해가는 것이다.

망가진 조직이라는 착각

조직을 변화시키려는 많은 시도를 무력하게 만드는 흔한 착각이 있다. 조직이 망가졌기 때문에 변화가 필요하다고 믿는 착각이다. 하지만 조직(회사, 국가, 가족 등)의 현재 상태는 조직원들(적어도 기득권을 가진 개인이나 그룹)이 그 상태를 원했기 때문에 나타난 것이다. 비록 몇몇 조직원이나 외부인에게는 조직이 '망가져 작동되지 않는' 것처럼 보이고 심각한 위험이 감지되더라도, 어떤 의미에서 조직은 전반적으로 균형 있게 잘 돌아가고 있다. 이런 현실을 우리 동료 제프 로렌스는 냉정하게 표현했다. "망가진 조직이란 존재하지 않는다. 모든 조직은 현재 상태가 만들어질 수밖에 없도록 완벽하게 구조화되어있기 때문이다."

조직의 역기능을 지적하는 사람은 인기가 없다. 조직의 핵심 구성원들은 외부인들의 평가가 어떻든 간에 현재 상태를 좋아할 것이다. 그들이 현재 상태를 좋아하지 않았다면 지금 같은 모습이 아니었을 것이다. 회사가 투명성을 강조하지만 실상은 정보에 대한 접근이 제한된 현실을 지적한다고 해보자. 이 문제를 제기했다고 칭찬받을 일은 거의 없다. 특히, 정보를 제한함으로써 혜택을 누리고 있는 사람들은 이 지적을 꺼릴 것이다. 분명한 것은 조직이 '외부에 선언한 가치와 실제 현실의 간극'을 허용하기로 했다는 것이다. 기득권층에게는 간극을 줄이는 것이 간극을 허용하는 것보다 더 힘든 일이다.

문제를 제기했을 때 어떤 영향이 있을지 아는 것은 중요하다. 조직은 새로운 것을 시도하기보다는 현재 상황을 유지하고 싶어 한다. 새로운 시도는 결과가 예측 불가능하고 핵심 구성원들이 손해를 볼 수 있기 때문이다. 이 점을 고려한다면, 간극을 줄이기 위한 다른 전략적 선택을 고려해 볼 수 있다. 조직의 역기능으로 인해 영향받는 사람들이 있다고 해보자. 위기에도 불구하고 변화를 끝까지 이끌기 위해서는 이 사람들에게 어떻게 동기를 부여해야 할지 집중적으로 고민해야 한다. 의도의 정당성만으로는 설득이 어렵다.

우리는 높은 이직률로 고민하고 있는 미국의 큰 비영리 단체와 일한 적이 있다. 유능한 젊은이들이 입사하고 몇 년 지나지 않아 다른 유사한 단체로 이직을 해서 숙련된 리더 양성이 어렵다고 했다. 인재 유지를 위한 논의도 수없이 하고, 태스크포스팀도 만들고, 새로운 보너스 제도도 마련했지만 변한 것이 거의 없었다. 왜냐하면 중간관리자들과 임원들은 젊고 유능한 인재가 오랫동안 근무하면서 자신들의 잘못을 알아내거나, 자리를 위협하거나,

조직의 목적과 방향에 대해 지적하는 것을 원치 않았기 때문이다. 이 조직의 현재 상태가 유지된 이유는 의사결정권자들과 장기근속 직원들이 그 상태를 원했기 때문이다. 이들은 실상 높은 이직률이 계속되어 자신들의 기득권이 유지되는 조직을 원했다.

미국의 자동차 산업은 '지금의 결과가 나올 수밖에 없도록 완벽하게 짜 맞추어진' 조직들의 사례를 보여 준다. 고도로 정교하고 매우 잘 운영됐던 조직들이 큰 변화에 제대로 대처하지 못해 어떻게 곤두박질쳤는지 보여주는 극적인 사례라고 할 수 있다. 1970년대 후반 1차 오일쇼크를 겪고 1980~1990년대 지구 온난화 문제가 심화하면서 자동차 산업의 변화에 대한 압력은 수십 년 동안 쌓여왔다. 결국 2008년 후반까지 화려한 시절을 유지했던 미국 자동차 산업은 변화에 적응하는 데 실패했다. 이 실패는 산업과 관련된 수많은 이해관계자—이사회, 경영진, 중간관리자, 조합원, 하청업체, 다양한 투자자, 그리고 수백만 명의 소비자에 이르기까지—사이에 깊고 복잡하게 얽힌 이해관계를 파악해야만 제대로 이해할 수 있었다.

어댑티브 챌린지와 기술적 문제

어댑티브 리더십이 실패하는 가장 주요한 원인은 무엇일까? 어댑티브 챌린지adaptive challenge를 기술적 문제technical problem로 취급하기 때문이다. 그렇다면 이 둘의 차이는 무엇일까? 기술적 문제는 매우 복잡하고 중요하긴 하지만(결함이 발생한 인공 심장 밸브를 수술을 통해 교체하는 것과 같은 일), 기존 지식을 이용하여 해결할 수 있다. 기술적 문제는 현재의 조직 구조, 절차, 업무 방식 안에서 전문 지식을 적용하여 해결할 수 있다.

반면, 어댑티브 챌린지는 사람들의 우선순위, 신념, 습관, 충성심 등의 변화를 통해서만 해결할 수 있다. 진정한 변화를 위해서는 현재의 이론과 지식보다는 새로운 실험과 도전이 필요하다. 기존 방식들을 과감히 벗어버리고 손실을 기꺼이 감수하며 새로운 적응력을 키워야 한다.

《하버드 케네디스쿨의 리더십 수업, Leadership Without Easy Answers》에서 인용한 〈표1-1〉은 어댑티브 챌린지와 기술적 문제의 차이점에 대해 보여준다. 모든 문제를 '기술적 문제' 또는 '어댑티브 챌린지'로 분명하게 나누기는 어렵다. 대부분의 문제는 기술적 요소와 어댑티브 챌린지 요소, 두 가지가 긴밀하게 얽혀 있다.

문제 종류	문제 정의	해결책	해결 주체
기술적 Technical	분명하다	분명하다	의사결정자
기술적이면서 변화 적응적 Technical and Adaptive	분명하다	학습이 필요하다	의사결정자 및 이해관계자
변화 적응적 Adaptive	학습이 필요하다	학습이 필요하다	이해관계자

〈표1-1〉 어댑티브 챌린지(변화 적응적 도전)와 기술적 문제 구분하기

쉬운 사례를 들어보자. 마티의 어머니 루스는 현재 95세로 매우 건강하다. 게다가 흰머리도 거의 없다. 루스는 혼자 살고 있고, 아직도 직접 운전을 한다. 마티가 뉴욕 집에서 하버드대학교 케네디스쿨로 강의를 하러 가면, 루스는 마티와 저녁 식사를 하기 위해 근처에 위치한 아파트에서 운전해서 온다. 최근 마티는 어머니를 만날 때마다 어머니 자동차가 긁혀 있다는 것을 깨달았다. 이 문제를 어떻게 볼 것인가?

문제를 해결하는 한 방법은 루스의 차를 카센터에 맡기는 것이다. 긁힌 부분은 자동차 정비사가 해결할 수 있다는 점에서 이 문제는 기술적 요소를 가지고 있다. 하지만 어댑티브 챌린지의 요

소도 보이지 않는 곳에 숨겨져 있다. 루스는 동년배 중에서 유일하게 운전을 하며 야간에 운전을 하는 것도 꺼리지 않는다. 루스는 운전을 하는 것에 엄청난 자부심을 느끼고 있다. 또 자신은 실버타운에 살지 않는다는 것, 혼자서도 잘 살고 있다는 것, 독립적인 삶을 살 수 있는 존재라는 것을 무척 자랑스러워한다.

따라서 운전을 그만두는 것은 루스에게는 엄청난 변화가 요구되는 일이다. 즉 새로운 적응이 필요한 것이다. 이 변화에는 택시 비용이 발생하거나 지인들에게 차를 태워 달라고 부탁해야 하는 기술적 측면도 존재한다. 하지만 변화 적응적 관점에서 보면, 운전을 그만두는 것은 그녀 정체성의 중요한 일부가 상실되는 것이다. 95세에도 여전히 야간 운전을 할 수 있다는 '독립적 여성'으로서의 정체성을 잃는 것은 루스에게 가슴 아픈 일이다. 이것을 기술적 문제로 이해하면 (카센터에 가는 횟수가 점점 늘어날 것이기 때문에 단기적인 해결일 뿐이다) 이 문제 속에 담긴 어댑티브 챌린지를 해결하지 못할 것이다. 결국 정체성을 새롭게 확립하고 새로운 상황과 제약을 받아들이며 살아가는 법을 찾아야만 어댑티브 챌린지를 해결할 수 있다.

이제 기업 사례를 살펴보자. 우리는 기업들의 인수 합병과정에서 어댑티브 챌린지를 발견하곤 하는데, 이는 중요한 기술적 문제를 포함하고 있는 경우가 대부분이다. 인수 합병의 과정에는 정보기술 시스템이나 사무실을 통합하는 것과 같은 중요한 기술적 과제가 있다. 하지만 결국 성공적인 합병을 위협하는 것은 변화 적응적 요소들이었다. 두 기업이 하나의 조직으로 통합되어 새롭게 생존하고 성장하기 위해서는 각 회사의 고유한 문화, 익숙해진 일상적 습관, 업무, 가치관의 일부를 포기해야 한다. 한 다국적 금융 회사가 합병 이후의 문제를 해결하기 위해 우리를 찾아왔다. 합병이 완료된 지 몇 해가 흘렀지만 두 회사는 합병 이전의 사업 방식을 고집하는 탓에 협력이 안 되고, 고객 서비스 제공 및 비용 절감에 어려움이 있었다.

조직 통합을 위해 중요한 것을 바꾸려 할 때마다 두 회사 중 한쪽에서 격렬하게 반대하곤 했다. 협상 과정에서 자신들에게 중요한 것을 잃는다고 생각했기 때문이다. 협상에 내포된 메시지는 분명했다. '우리 회사의 고유한 DNA를 건드리지 말라. 우리도 당신 회사의 DNA를 건드리지 않을 테니 말이다.' 결국 두 회사는 기본적인 기술과 통신 시스템 일부만 통합하고 각자 중요하다고 생각한 가치나 방식은 서로 건드리지 않는 수준에서 합병을 마무리했다.

이와 유사한 사례로 프랜차이즈처럼 운영되는 미국의 대형 엔지니어 회사가 있었다. 지역 사무소들은 본부에서 설립한 것이 아니라 외부에서 인수하여 설립했기 때문에 자기만의 방식을 가지고 있었다. 본부 주력 상품은 지역 사무소에서도 판매되고 있지만, 각 사무소는 과거 방식대로 자율적으로 운영되었고 이런 자율성은 회사의 중요한 정체성으로 여겨졌다. 하지만 이런 방식은 본부가 대형 계약을 따내려고 할 때 가격 경쟁력을 잃게 했다.

또 다른 사례로 점점 대중화되고 세분화되는 전문 서비스들을 들 수 있다. 로펌 법률 서비스가 대표적이다. 법률 서비스는 신뢰 관계를 중시하고 관계 형성을 영업의 핵심으로 여겨 가격 경쟁을 기피해왔다. 하지만 전문 서비스들이 대중화되면서 관계기반 서비스도 변하고 있다. 반대로, 제품 판매 중심의 사업은 관계기반 서비스처럼 고객과의 신뢰를 쌓으려는 시도가 일어나고 있다.

사회는 점점 빠르게 세계화되고, 혁신 또한 가속화되고 있다. 최고의 제품을 개발했다고 해도 지속 가능한 성공이 보장되지 않는다. 한 글로벌 IT 회사는 거대한 변화에 적응하기 위해 고군분투하고 있었다. 그들은 제품 판매 중심의 '거래 기반형transaction-based 경영'에서 신뢰와 이해를 기반으로 솔루션을 제공하는 '관계 기반형relationship-based 경영'으로 전환해가고 있다. 이런 전환은 전문 서비스 회사뿐 아니라 금융, 전자 제품 회사에 이르기까지 수많은 기업에 필요하다. 이런 기업들은 신제품, 역량 있는 영업사원, 기발한 마케팅 전략에 힘입어 지금까지 큰 성공을 이루어왔다.

하지만 여기에서 더 나아가 기술 및 대인 관계 역량을 키우려 애쓰고 있다. 이런 역량들이 조직 내부 및 외부(고객과)의 신뢰 구축에 필요하기 때문이다. 영업 중심으로 인력을 훈련하고 성장한 기업은 관계 구축과 소통을 기반으로 성장해야 하는 환경에서 필요한 경험이나 역량은 부족할 수 있다. 새로운 변화에 대응해야 할 때, 성공적으로 경력을 쌓아온 관리자들도 익숙한 방식에서 벗어나 위험을 각오하고 새로운 영역으로 뛰어들 수 있어야 한다.

마티와 그의 어머니처럼 대부분의 조직 및 공동체는 변화 적응적 위기를 직시하고 해결하는 것을 회피하는 경향이 있다. 새로운 적응은 변화가 필요하고, 변화에는 손실이 따르기 때문이다. 그런 점에서 마티의 어머니 루스와 합병 후 각자의 방식을 버리지 않으려 했던 회사는 결국 비슷하다고 할 수 있다. 물론 변화가 필요한 어떤 과제들은 우리의 역량을 뛰어넘기도 하고, 아무리 노력해도 해결할 수 없기도 하다. 지진이나 화산 같은 자연재해처럼 말이다. 하지만 충분히 대처할 수 있었음에도 불구하고 기회를 놓치는 경우도 많다. 미국 자동차 산업이 지난 수십 년 동안 기회를 놓친 것처럼 말이다.

'사람들은 변화를 싫어한다'라는 말은 진실이 아니다. 사람들은 그렇게 어리석지 않다. 긍정적으로 보이는 변화는 모두가 좋아한다. 복권 당첨을 꺼리는 사람이 있을까? 사람들이 꺼리는 것은 변화 자체가 아니라 변화로 인해 '잃게 되는 것', 즉 손실이다. 변화가 실질적 및 잠재적 손실을 가져올 때 사람들은 현재 상태를 선호하고 변화를 거부한다. 변화를 가로막는 주요 요인은 손실에 대한 저항이라고 생각한다.

그러므로 어댑티브 리더십의 핵심은 진단 능력이다. 변화가 어떤 손실을 주는지 판단할 수 있어야 한다. 그것은 삶 자체일 수도 있고, 사랑하는 사람이나 직장, 재산, 지위, 명예일 수도 있으며, 공동체, 충성심, 정체성, 경쟁력일 수도 있다. 어댑티브 리더십은 변화 상황에서 발생하는 손실을 평가하고 관리하는 것이다. 사람들이 손실을 감당할 수 있게 하고, 손실로 인해 앞으로 일어날 변화를 설명할 수 있어야 한다.

변화 적응은 어떤 것을 잃게 되는 과정이기도 하지만 무언가를 보존하는 과정이기도 하다. 변화 적응 과정에서 손실이 수반되는 것은 사실이지만 새로운 변화에 적응하는 것이 모든 것을 잃는다는 뜻은 아니다. 그러므로 "생존하고 번성하기 위해 중요한 가치 중 무엇을 포기해야 하는가?"라는 질문을 던져야 한다. 이뿐 아니라 "중요한 가치 중에서 무엇이 본질적이고 반드시 보존되어야 하는가? 보존하지 않으면 잃게 되는 가치, 핵심 역량, 정체성은 무엇인가?"라는 질문에도 답해야 한다. 자연 생태계처럼 조직이나 공동체는 성공적인 진화와 적응을 통해 전통, 정체성, 유산 중 가장 좋은 것들을 취하여 미래로 나아갈 수 있다.

적응해야 하는 변화는 무엇이고, 그에 따른 손실은 무엇인지 답하기란 매우 어렵다. 이 질문에 답하기 위해서는 어려운 선택을 해야 하고, 무엇을 취하고 버릴지 알아야 하고, 계속되는 불확실성 속에서 실험하는 자세로 시행착오를 겪어야 한다. 이 대답은 생각만으로는 얻어지지 않는다. 개인과 조직이 새로운 관계, 역량, 정체성을 만들기 위해 노력해야 한다. 기존에 믿고 지지하며 대변해 온 이야기들을 수정해야 할 수도 있다.

어댑티브 리더십은 개인, 조직, 공동체가 어려운 질문에 올바르게 대답하도록 이끌어야 한다. 즉 보전해야 할 핵심 유전자와 버려야 할 유전자를 구별하도록 돕고, 조직의 성공적 번성을 위해 변화 적응력을 새롭게 구축하는 것이 바로 어댑티브 리더십의 과업이다.

리더십과 권한

어댑티브 리더십은 '일을 잘하는 것'과는 근본적으로 다르다. 어댑티브 리더십은 권위와 전문성을 의미하지 않으며, 조직에서 높은 자리를 의미하지도 않는다. 어댑티브 리더십은 신뢰, 존경심, 도덕적 권위와 같은 비공식적이면서도 높은 차원의 힘을 의미하지도 않는다. 사실 우리 주변에는 어댑티브 챌린지를 제대로 대응하지 않은 채 조직의 고위직을 차지하는 사람들이 많이 있다.

한편 수많은 추종자가 있음에도 불구하고 어댑티브 리더십을 발휘하는 데 실패하는 사람들도 많다. 이들은 자신의 비공식적 권한을 유지하고 확대하기 위해 추종자들의 기대에 영합하곤 한다. 예를 들어 추종자들이 감당해야 할 변화 적응을 축소해버린다든지, '변화해야 할 사람들'은 추종자들이 아닌 다른 사람들인 것처럼 말함으로써 판단을 거부하기도 한다.

사람들은 리더십이 권위나 권력, 혹은 영향력과 어떻게 다른지 이해하기 어려워한다. 리더십은 '실행'이라는 개념을 통해 쉽게 이해할 수 있다. 리더십은 어떤 특정한 사람이 특정한 순간에 하는 행동이다. 즉 리더십은 직업이나 직위가 아니라 '행동'이라는 것을 이해해야 한다. 물론 권위나 권력, 영향력은 리더십의 중요한 수단이지만, 리더십이 무엇인지를 완전히 설명해주지는 않는다. 권위, 권력, 영향력은 리더십과는 거의, 또는 전혀 관계없는 일과 목적에도 사용될 수 있기 때문이다. 예를 들어 권위 있는 의사가 외과 수술을 할 때 리더십을 발휘한다고 보지 않는다. 안정된 환경에서 장기간 성공해온 조직을 운영하는 것 또한 리더십을 발휘한다고 보기 어렵다.

공식적 혹은 비공식적 구조에서 권력과 영향력이 작동하는 원리는 기본적으로 같다. 사회적 계약의 형태가 동일하기 때문이다. [A]는 [B]에게서 서비스를 받기로 하고 권력과 영향력을 [B]에게 위임한다. 조직 내 사회적 계약은 직무 기술서에 공식적으로 표현되거나, 태스크포스팀이나 부서, 조직 미션 등을 만들 수 있는 권한이 위임되면서 나타나기도 한다. 사회적 계약은 비공식적으로 이뤄지기도 한다. 카리스마 있는 지도자와 추종자들 사이에서 추종자들이 자신의 자원을 리더에게 제공하는 경우도 있다. 모든 사회적 관계는 공식적 혹은 비공식적이든 동일한 원리로 작동된다. 서비스를 제공하고 권력을 위임받는 것이다. 즉 '우리의 중요한 목표를 위해 일해주길 바랍니다.'라는 메시지가 담긴 것이다.

따라서 권위는 '상대방을 위해 일한다'는 전제 아래 한 사람

혹은 여러 사람으로부터 권한을 위임받는 것이다. 조직은 신속한 문제 해결을 기대하며 권한을 위임한다. 권한을 위임하고 자발적으로 따르는 것은 해결책에 대한 기대가 있기 때문이다. 해결사로서, 조직의 대표로서, 전문가로서, 실행가로서의 역할을 감당하며 상황에 맞는 해결책을 찾아주길 기대하는 것이다. 당면한 문제가 단순히 기술적 문제라면 권위 있는 전문가의 역할을 기대할 것이다.

권위는 어댑티브 리더십과 어떻게 다른지 살펴보자. 권한을 위임하는 사람을 '권한 위임자authorizer' 라고 부른다. '권한 위임자'는 상사, 동료, 부하일 수도 있고, 고객, 언론매체와 같이 조직 외부인일 수도 있다. 조직 문제에 대한 해결책을 찾는 것을 지켜보고 지지하는 사람은 누구나 권한 위임자라고 할 수 있다.

당신이 어떤 역할을 맡고 있다면 일정 범위의 권한이 주어진다. 부모, 회사대표, 의사, 컨설턴트 등 역할에 상관없이 모든 역할에는 일정 범위의 권한이 있다(〈그림1-2〉참고). 권한위임자들의 기대에 따라 주어진 역할의 범위와 목표가 정해진다. 기대하는 일을 잘 해내면 권한 위임자들은 만족한다. 기대 이상의 일을 해내면 월급 인상, 상여금 지급, 더 큰 기회, 더 높은 직책, 더 멋진 사무실 같은 보상이 지급된다.

공식적 · 비공식적
권위

권한의 경계선에서
춤추며 어댑티브리더십
영역으로 들어가기

경계선 밖
권한위임자들의 기대를
실망시키며 위험을 감수하기

〈그림1-2〉 공식적, 비공식적 권위

　　조직이 원하는 것을 훌륭하게 해낼 때, 즉 다른 사람들의 지시를 탁월하게 수행할 때, 조직이 수여하는 매력적인 보상은 당신을 '리더'라고 불러주는 것이다. 많은 사람처럼 당신도 이런 타이틀을 원할 수 있다. 리더라고 부르면서 조직은 그들이 원하는 곳에 당신을 머무르게 할 수 있다. 주어진 권한의 범위에서만 머무르며, 어댑티브 리더십을 시도하지 못하게 하는 것이다.

　　20년 전 로널드는 하버드 최고 경영자 과정에서 미군 장교들을 위한 프로그램을 진행했다. 프로그램이 6주 차에 접어들었을 때, 한 공군 대령이 매우 기운 빠진 모습으로 세미나실로 들어왔다. 로널드는 "무슨 일이 있으셨습니까?"라고 물었다. 대령은 "몇 년 전 저는 장교로 임명받았고, 사람들은 저를 리더라고 불러 주

었습니다. 제게 권한은 있었지만 실제로 리더십을 발휘하지는 못했던 것 같습니다"라고 말했다. 한 주가 지났을 때도 그 대령은 여전히 그 문제에 대해 고민하고 있었지만, 왠지 활기가 넘쳐 보였다. "이제 알았습니다. 저에게 리더십을 발휘할 수 있는 선택권이 있었다는 걸요. 그때는 왜 몰랐을까요?"

권한 위임자들의 기대에 부응했을 때 조직은 당신을 리더라고 명명함으로써 일종의 보상을 제공한다. 사실 권한 위임자들의 기대에 부응하는 것은 중요하다. 예를 들어 의사와 간호사는 신뢰할 수 있는 서비스를 원하는 환자들의 기대에 부응하며 생명을 돌봐야 한다. 그러나 기대에 부응하는 것과 조직이 어댑티브 챌린지에 대처하도록 이끄는 것은 별개다. 조직의 변화 적응력을 키우기 위해서는 주어진 권한의 경계선을 넘나들며 리더십을 발휘하겠다는 의지와 역량이 있어야 한다. 소중히 여기는 가치와 목표를 위해서 말이다(〈그림1-2〉 참고). 어댑티브 리더십은 단순히 권한 위임자들의 기대에 부응하거나 그 이상의 성과를 내는 것이 아니다. 어댑티브 리더십은 권한 위임자들의 기대에 도전을 제기하고, 경계선 밖으로 완전히 밀어내지는 않지만 그들을 실망시킬 수도 있어야 한다. 변화로 이끄는 과정에서 불가피하게 촉발되는 저항감을 제대로 다룰 수 있어야 한다. 어댑티브 리더십을 발휘하면 권한 위임자들의 반대에 부딪히게 될 것이다. 자신들이 원하는 일을 위해 권한을 위임했는데, 기대치 않은 일을 벌이는 것처럼 느끼기 때문이다. 문제를 제기하고, 금기시되는 이슈에 관해 이야기하고, 말과 행동의 모순을 지적하는 것은 권한 위임자들에게 위협적이기 때문에, 자신들의 요구를 만족시킬 다른 사람을 찾으려 할 것이다.

예를 들어 환자가 약속한 것을 지키지 않으면 수술하지 않겠다고 말하는 외과 의사가 있다고 하자. 의사는 환자에게 수술 후 금연하고 규칙적으로 운동하며 건강한 식습관을 매일 지켜야 한다고 말한다. 게다가 환자가 규칙을 지키도록 재산의 절반을 6개월 동안 신탁에 위탁하라고 요구한다. 그러면 대부분의 환자는 그저 수술만 잘해주고 자신에게 관여하지 않는 의사를 찾을 것이다. 환자들에게서 변화를 요구하는 의사는 병원 문을 닫게 될지도 모른다.

일반적인 조직에서 어댑티브 리더십이 거의 나타나지 않는 것은 그리 놀라운 일이 아니다. 어댑티브 리더십은 위험하기 때문이다. '리더'라는 단어의 어원은 인도유럽어의 'leit'인데, 'leit'는 전쟁터에서 깃발을 들고 맨 앞에서 적을 공격하는 사람, 적에게 가장 먼저 공격을 당해 사망할 위험이 큰 사람을 뜻한다. 그의 희생으로 나머지 군대는 자신들 앞에 놓인 위험에 대해 알게 된다.

어댑티브 리더십은 공식적 및 비공식적으로 권한을 위임한 사람들의 기대에 반할 수도 있다는 점에서 위험하다. 권한 위임자들 사이에서 발생한 갈등을 조정해야 하는 일도 빈번하게 발생한다. 예를 들어 선거에서 승리하기 위해 정치인들은 서로 상충하는 지지자들의 기대를 그때그때 맞춰가곤 한다. 조직에서도 이런 일이 일어난다. 중간관리자이거나 이전에 중간관리자였다면, 부하직원과 상사의 기대 사이에서 갈등을 경험한 적이 있을 것이다. 부하직원은 중간관리자가 자신들을 보호하고 대변해주길 기대한다. 반면, 상사는 중간관리자가 직원들의 월급, 운영비 지출, 연말 보너스 등의 비용을 관리하고, 더 나아가 일부 직원을 해고해주길 기대한다. 부모라면 배우자와 자녀 사이에서, 혹은 배우자와 어머니 사이에서 갈등을 경험해봤을 것이다.

최근 한 친구가 대형 웹디자인 회사의 디자인 스튜디오를 관리하는 수석 매니저로 채용되었다. 경영진은 그가 젊고 재능있는 웹디자이너들을 체계적으로 훈련하여 전문성을 키우고 비즈니스적 사고를 할 수 있게 만들 것이라고 기대했다. 반면, 웹디자이너들은 그가 그들의 목소리를 경영진에게 대변해 주길 기대했다. 업무 성과를 위해서는 웹디자이너들 또한 그에게 중요했다. 그는 경영진과 부하직원 모두를 만족시킬 수 없었다. 그는 '권한을 위임한 두 그룹 중 어느 쪽을 실망하게 해야 할까, 그리고 어떤 시점에서 그들의 기대치를 조정해야 할까?'라는 질문에 직면했다. 성공하고 살아남기 위해서는 적절한 시점과 일의 순서가 중요하다. 예를 들어 일반적으로 초기에는 상사의 기대에 부응하는 것이 부하 직원을 대변하여 상사에게 도전하는 것보다 낫다.

사람들은 리더십과 전문성을 동일하게 생각하는 경향이 있다. 맡겨진 일을 훌륭하게 해내는 것이 리더십이라고 생각한다. 하지만 리더십과 전문성은 분명히 다르다. 이 둘을 구분하는 것은 중요하다. 전문성을 넘어서 어댑티브 리더십을 발휘한다는 것은 위험을 감수하고 사람들이 듣기 원하는 말이 아니라 들어야 하는 말을 하는 것이다. 동시에 조직, 공동체, 사회가 어려운 도전에 대응하고 앞으로 나아가도록 이끄는 것이다.

대통령, 회사대표, 병원 관리자, 시민 단체 리더, 혹은 평범한 부모라도 주어진 권위로 해야 할 역할은 상당히 비슷하다. 주어진 핵심 의무를 세 가지로 정리할 수 있다. (1) 방향을 설정하고 (2) 보호하며 (3) 질서를 만드는 것이다. 즉 비전을 제시하고(방향 설정), 조직 및 공동체가 외부 공격으로부터 살아남게 하며(보호), 안정성을 유지하는 것이다(질서 유지). 변화에 적응하는 것은 기존의 균형equilibrium을 깨뜨리며 미지의 세계로 들어가는 것과 같다. 이는 본질적으로 불확실하고 불안정하기 때문에, 개인이나 조직은 이 과정에서 불안을 느끼거나 방향을 잃기도 한다(〈표1-2〉 참고).

과업 task		기술적 technical	변화 적응적 adaptive
방향 direction		문제를 정의하고 해결책을 제공한다.	어댑티브 챌린지가 무엇인지 규명한다. 핵심 질문과 중심 주제를 구조화한다.
보호 protection		외부 위협으로부터 보호한다.	어떤 외부 위협이 존재하는지 드러낸다.
질서 order	역할 규정	기존 역할에 사람들이 익숙해지게 한다.	기존 역할을 넘어서게 한다. 한편 새로운 역할을 성급하게 수행하지 않도록 한다.
	갈등	기존 질서를 회복시킨다.	갈등을 노출하거나 갈등이 수면 위에 떠오르게 한다.
	규범	규범을 유지한다.	규범에 도전하거나 기존 규범이 도전받게 만든다.

〈표1-2〉 권위의 속성에 따른 리더십 구분

불안정 상태에서 살아가기

어댑티브 리더십은 불안정한 시기를 통과할 때 제대로 길을 찾도록 돕는 것이다. 본질적인 것과 버려도 되는 것을 면밀히 가려내고, 변화가 필요한 과제를 해결하도록 돕는 것이다. 불안정 상태는 많은 것들을 자극한다. 갈등, 좌절, 공포감뿐만 아니라 혼란스러운 감정, 길을 잃은 느낌, 상실감에서 오는 불안감까지 다양한 감정을 불러일으킨다. 조직의 기존 역량이나 쉽게 얻을 수 있는 전문적 지식으로 기술적 문제들을 해결하도록 사람들을 독려할 때와는 차원이 다른 반응을 다뤄야 한다. 결국 어댑티브 리더십은 소용돌이치는 거대한 에너지를 다룰 수 있는 탁월한 역량과 통찰력을 필요로 한다. 이를 위해서는 두 가지가 요구된다.

첫째, 불안정한 상태에서 자신을 잘 다스려야 한다.
둘째, 사람들이 불편함을 잘 참아내도록 도와야 한다. 즉 불안정 상태 속에서 사는 법을 터득해야 한다.

본질적 변화가 일어나는 과정은 고통을 수반한다. 변화로 인한 고통을 받아들이는 것은 무엇을 의미할까? 그것은 근본적인 변화 과정에서 발생하는 고통을 인식하고 연민과 공감을 가지는 것을 말한다. 변화에는 고통이 따라오지만 좀 더 분석적으로 살펴보면 사람들을 불편하게 하는 것은 변화의 목적이나 본질이 아니라 변화로 인한 결과다. 변화할 목적이 있다는 것은 힘들고 복잡한 문제들을 해결하게 하는 원동력이다. 자동차를 운전하면 엔진이 작동하면서 자연스럽게 열이 발생한다. 열은 자동차가 감당할 수 있는 범위 내에서 유지되어야 한다. 운전은 이동을 위한 것이지만, 가끔 온도 게이지를 보면서 냉각시스템이 잘 작동하고 있는지 확인해야 한다.

어려운 질문들을 던지고 조직원들의 업무를 넘어서는 책임을 요구하면 개인이나 조직의 불안정성이 높아진다. 운전하면 열이 발생하듯이 개인과 조직의 불안정성이 높아진다. 하지만 개인과 조직은 안전하고 익숙한 상태를 선호한다. 어려운 문제를 제기하고 충돌되는 가치를 표면 위로 드러내는 것은 사람들을 안전지대에서 벗어나게 하는 엄청난 열을 발생시킨다. 이것을 조율하기는 쉽지 않다. 계속해서 온도를 조절하면서 조직이 어느 정도의 열을 견딜 수 있는지 봐야 한다. 그리고 '생산적 불안정 구역 PZD,productive zone of disequilibrium'이라고 부르는 범위 안에서 조직의 온도를 유지해야 한다. 이 범위 안에서 적절히 개입하면 사람들은 문제에 주의를 기울이고, 참여하고, 개선을 위해 행동한다. 이 범위 안에서는 조직이 붕괴할 정도로 온도가 올라가지는 않는다.

이는 압력솥의 원리와 비슷하다. 온도와 압력을 너무 낮추면 솥 안의 재료들이 맛있는 요리가 되지 못하고, 온도와 압력을 너무 높이면 뚜껑이 튀어 오르고 재료들이 바깥으로 튀어나올 것이다. 온도조절 장치를 계속 보면서 온도를 조절하듯이, 열과 압력을 어느 수준으로 조절할지 신중해야 한다. 만약 당신이 조직에서 비교적 고위직에 있다면 온도와 압력을 조절하는 것이 훨씬 수월하다. 고위직에 있으면 조직의 온도조절 장치에 관여할 수 있기 때문이다(물론 조직의 온도를 올리기보다는 내리는 것을 더 요구받겠지만 말이다).

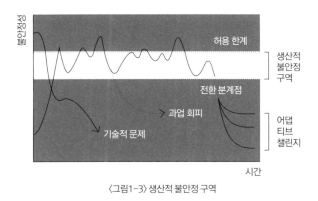

〈그림1-3〉 생산적 불안정 구역

〈그림1-3〉을 더 자세히 살펴보자. '기술적 문제' 곡선은 조직이 기술적 문제를 다룰 때 불안정 상태 속에서 어떤 변화가 나타

나는지 보여준다. '어댑티브 챌린지' 곡선은 조직이 변화 적응적 도전을 맞닥뜨릴 때 발생하는 불안정 상태 속에서의 변화를 나타낸다. 수평으로 표시된 막대가 '생산적 불안정 구역'이다. 이 구역의 아랫부분에서는 사람들이 편안함을 느낀다. 반면, 이 구역 윗부분에서는 불안정성이 매우 심각하고 온도가 높아 조직 내 긴장이 통제할 수 없는 상태까지 이른다. '생산적 불안정 구역'에서는 긴장이 적당히 높기 때문에 사람들이 문제에 집중하며 해결하도록 이끌기가 수월하다. 점선으로 표시된 '과업 회피' 곡선은 어려운 문제들을 회피하면서 불안정성을 낮추는 것을 나타낸다.

다시 기술적 문제 곡선을 살펴보자. 기술적 문제에서 불안정성이 어떻게 변하는지를 설명하기 위해 스키를 타다가 다리가 부러진 상황을 상상해보자. 사고 직후 느끼는 불안정성은 최고조로 매우 견디기 어려운 상태일 것이다. 눈 위에 누워 추위와 엄청난 고통을 느낄 것이고, 사람들은 스키를 타며 당신 옆을 지나갈 것이다. 그때 친절한 스키장 직원들이 들것과 담요를 가지고 온다. 위스키 한 잔을 줄지도 모른다. 그러는 동안 불안정성은 점차 참을 수 있는 수준으로 내려간다. 응급처치를 받거나 재활 치료를 받는 동안 가끔 불안정성이 높아지긴 하겠지만 점차 줄어들 것이다. 그리고 몸이 완전히 회복되면 불안정성은 사라진다. 반면, 어댑티브 챌린지에서의 불안정성 패턴은 다르게 나타난다. 초기에는 불안정성 수준이 낮다. 조직에서 반드시 해결되어야 할 어댑티브 챌린지를 발견했다고 하자. 조직원 대부분은 그 문제를 인식하지 못하거나 인식하더라도 다루기를 원치 않을 것이다. 이런 상황에서 조직에 온도와 압력을 높여야 한다. 즉 이 문제를 회피해서 발생할 불편함이 문제를 해결하면서 생기는 불편함보다 훨씬 심각하다는 것을 인식시켜야 한다. 즉 조직을 생산적 불안정 구역으로 끌고 가야 한다.

어댑티브 챌린지에 대응하고 있을 때 상황은 더 요동친다. 지속적인 개입으로 인해 조직은 계속 안정과 불안정 사이를 왔다 갔다 할 것이다. 가끔은 두 걸음 전진하기 위해 한 걸음 후퇴해야 할 때도 있을 것이다. 변화를 위해서는 인내와 끈기가 필요하다. 압력이 낮은 상태를 선호하는 사람들의 전략을 예상하고 대응하는 것이 필요하다.

어댑티브 챌린지를 회피하기 위해 사람들은 여러 시도를 할 것이다. 권한은 전혀 없는 그럴듯한 위원회를 구성할 수도 있고, 희생양을 지목할 수도 있다. 기술적 문제와 달리 어댑티브 챌린지는 인과관계를 파악하기가 쉽지 않고 명확한 해결책을 찾기도 어렵다. 계획이 필요하지만 새로운 것을 발견하거나, 상황이 변하거나, 새로운 형태의 저항이 나타날 때, 기존 계획을 변경할 수도 있다. 일단 어댑티브 챌린지에 대응하도록 조직 에너지를 촉발하고 나면 결과에 대해서는 통제할 수 없다. 이 때문에 어댑티브 챌린지 곡선의 끝부분에는 여러 가능한 결과들이 존재한다.

　무엇을 성공이라고 정의할지에 대해서도 유연하고 열린 자세가 필요하다. 이 길은 직선 코스가 아니다. 변화를 이끄는 과정에서는 아무리 중요한 목적이라고 해도 어느 정도 손실이 발생한다. 그뿐만 아니라 조직 시스템에 변화가 생기고, 정치적 역학 관계도 변하며, 그 외에 예측 불가능한 요소가 발생하기 마련이다. 어댑티브 챌린지를 해결하는 것은 벌이 나는 것과 비슷해서 가끔은 제대로 된 방향으로 날지 못하는 것처럼 느껴질 때도 있다. 결과 또한 처음에 상상했던 것과는 상당히 다를 수 있다.

관찰하라, 해석하라, 개입하라

어댑티브 리더십은 다음 세 가지 핵심 활동이 반복된다.
　(1) 주변에서 일어나는 사건과 패턴을 관찰한다.
　(2) 관찰한 것을 해석한다(무엇이 실제로 일어나고 있는지 설명하는 다양한 가설을 발전시킨다).
　(3) 관찰과 해석을 바탕으로 어떻게 행동할지 계획한다.

이 행동은 어댑티브 챌린지를 해결하기 위한 것이다. 관찰, 해석, 개입의 3단계는 앞에서 생긴 활동의 결과를 토대로 이루어지며, 이 과정은 계속 반복된다. 과정을 반복하면서 관찰하고, 해석하고, 개입하는 과정을 좀 더 정교하게 다듬을 수 있다. (〈그림 1-4〉 참고) 이제 각각의 활동들을 자세히 살펴보자.

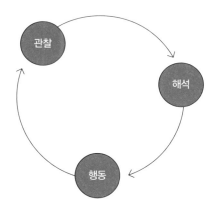

〈그림1-4〉 어댑티브 리더십의 과정

관찰하라

마티의 부인 린은 미술을 전공했다. 린은 마티를 미술관에 데리고 가서(사실 끌고 가는 것에 가깝지만) 그림을 감상한다. 마티는 린이 보는 것의 25% 정도만 볼 수 있을 뿐이다. 린이 유명한

작품에 대해 중요한 사실 몇 가지를 설명해주면 마티도 약 50% 정도까지 볼 수 있을 것이다. 마티와 린은 같은 상황에서 동일한 사건을 관찰하지만 각자의 경험과 관점에 따라 다른 것을 본다.

관찰은 매우 주관적인 활동이다. 하지만 어댑티브 리더십을 위해서는 최대한 객관적으로 관찰해야 한다. 객관적 관찰을 위해서는 무도회장에서 나와 발코니에 올라가는 것이 매우 효과적이다. 발코니에서는 약간의 거리를 두고 다른 사람들과 자신을 볼 수 있기 때문이다. 다른 사람들이 어떻게 행동하는지, 전체적으로는 어떤 일들이 벌어지고 있는지 관찰할 수 있다. 이런 관찰은 무도회장 안에서는 이루어지기 어렵다.

빌 러셀Bill Russell은 프로 농구 명예의 전당에 오른 인물로, 1950년대 후반과 60년대에 보스턴 셀틱스에서 활약한 인기 선수이자 코치다. 그는 《제2의 바람: 고집 센 남자의 회고록, Second Wind: The Memoirs of an Opinionated Man》이라는 자서전에서 자신이 어떻게 농구 코트 전체를 조망하면서 자신을 포함한 열 명의 선수들의 관계와 경기 패턴을 관찰할 수 있었는지, 다른 선수들의 동작을 예상하여 누구에게 패스할지를 결정했는지 설명했다. 러셀은 NBA 챔피언십에서 두 번이나 선수이자 코치로 활약하며 우승을 견인했다. 코트 안팎에서 그의 역량은 그야말로 최고였다.

가능한 모든 자료를 수집하는 것이 관찰의 핵심적인 첫 단계이다. 눈에 보이고, 찾아낼 수 있고, 발견할 수 있는 모든 자료를 수집한다. 무슨 일이 일어나고 있는지 제대로 보기는 쉽지 않다. 업무를 수행하면서 동시에 일어나고 있는 일들을 객관적으로 관찰하는 것은 어렵다. 객관적 관찰을 위해 일단 끊임없이 질문을 던져야 한다.

"누가 누구와 말하고 있는가?"

"누가 누구에게 반응하는가?"

"조직도에서는 보이지 않지만 어떤 집단과 관계가 실제로 형성되어 있는가?"

"우리가 직면하고 있는 문제들은 어떻게 발전되어 왔는가?"

"다른 관점들이 존재하는가?"

"문제와 관련 있지만, 찾아보기 전에는 잘 보이지 않던 조직의 행동 패턴들은 무엇인가?"

"조직 문화와 구조는 사람들에게 어떻게 영향을 미치는가?"

고객사와 컨설팅 과정에서 워크숍이나 회의를 진행할 때 '발코니에서 관찰하는 사람' 역할을 한 사람에게 맡기곤 한다. 그의 역할은 뒤로 물러나 상황을 기록하고 참석자들의 다양한 말과 행동을 정리하는 것이다. 우리는 '발코니에서 관찰하는 사람'에게 주관적 해석을 배제하고 관찰한 사실만을 이야기해 달라고 요청한다. 잠시 물러나서 상황을 관찰하고 기록하는 것만으로도 얼마나 많은 것들을 볼 수 있는지 모른다.

해석하라

해석은 관찰보다 더 어려운 과정이다. 가설에 대해 발언하거나 관찰을 통해 감지한 것을 설명할 때, 이와 다르게 해석하는 사람들의 분노를 일으킬 수 있다. 사람들은 자신이 선호하는 '진실'이 수용되기 원하기 때문이다.

예를 들어보자. 회의에서 목소리가 작은 한 사람이 의견을 제시할 때마다 동료들로부터 무시를 받고 있는데, 그는 그룹에서 유일한 흑인 여성이다. 당신은 동료들이 편견으로 인해 그를 신뢰하지 못하고, 업무에 대한 그의 관점이 쉽게 무시당한다고 해석한다. 하지만 다른 동료들은 동일한 현상을 두고 그가 너무 조용히 말하기 때문에 생긴 결과라고 해석한다. 이런 상반된 해석으로 인해 당신과 동료들은 서로 다른 해결책을 제시한다. 동료들은 그가 업무 코칭을 받아야 한다고 제안한다.

반면, 당신은 동료들이 그의 의견에 좀 더 귀 기울일 필요가 있으며, 나아가 상담을 통해 다양성을 받아들이는 훈련을 해야한다고 제안한다.

해석 과정에서 논쟁이 있다 해도 해석은 필요하다. 뇌는 정보에서 의미를 찾고 특정 패턴을 파악하려고 한다. 대부분의 해석은 무의식적이고 순식간에 형성되기 때문에 '이 상황에 대한 해석이 맞는 걸까? 다른 대체할 만한 가정들은 무엇일까?' 등의 질문을 스스로에게 하기도 전에 행동이 앞서게 된다. 어댑티브 리더십을 위해서는 행동을 취하기 전에 관찰한 것에 대한 자신의 해석을 깊이 들여다봐야 한다.

해석은 '말 속에 감춰진 노래'를 듣는 것과 같다. 감각을 통해 수집한 정보들을 최대한 포괄적으로, 최대한 정확히 해석하는 것이 중요하다. 겉으로 관찰되는 말과 행동뿐 아니라, 몸짓과 감정을 관찰하고 숨겨진 뜻을 알아야 한다. '겉으로 보이지 않지만 중요하게 여기는 가치와 충성심은 무엇인가?' '사람들이 상황을 어느 정도까지 기술적 문제로 해석하는가?'와 같은 질문을 스스로에게 해야 한다. 자신의 해석과 사람들의 해석에 의문을 품고 질문하는 것은 중요하다. 이런 과정이 없다면, 조직 문제를 진단하는 책임을 회피하는 것과 마찬가지이다.

아무리 심사숙고 끝에 나온 해석이라도 결국 좋은 추측에 불과하다는 것을 인정해야 한다. 완벽한 해석이 가능하도록 모든 정보를 수집하는 것은 불가능하다. 관찰을 통해서 가능한 모든 해석을 완벽히 제시하고 평가할 수 있는 사람은 없다.

하지만 어댑티브 리더십에 익숙해지면 특정 상황을 한 가지 이상으로 유연하게 해석할 수 있다. 그 해석들이 상반되더라도 말이다. 앞의 사례에 목소리가 작은 여성에 대한 해석이 서로 달랐던 것처럼 현실에는 상반된 해석들이 종종 존재한다. 머릿속에서 동시에 다양한 해석을 하는 것은 고되고 힘들다. 우리는 본능적으로 항상 한 가지 '옳은' 답을 찾으려는 성향이 있기 때문이다. 정신적으로 균형 잡힌 판단을 위해서는 같은 자료와 정보를 다양한 다른 관점에서 볼 수 있어야 한다.

해석 과정을 많이 연습하면 더 나은 추측이 가능해진다. 그러나 해석은 어디까지나 추측일 뿐이다. 공식적으로 해석을 표현하면 그 자체가 개입이며 논란을 일으킬 수 있다. 일단, 잠정적이고 실험적인 가설을 만들고, 반응을 관찰하라(그리고 해석하라). 그러면 얼마나 정확하게 해석했는지 판단할 수 있을 것이다.

개입하라

관찰한 문제들을 어떻게 해결할 수 있을지 해석했다면 이제 그 해석을 바탕으로 무엇을 할 것인가? 업무 성과 향상을 돕는 코치를 고용할 것인가? 다양성에 대한 이해와 인식을 길러 줄 상담가를 고용할 것인가? 아니면 둘 다 고용할 것인가? 해석을 회의에서 공유할 것인가? 아니면 소규모 그룹에서 시도해볼 것인가? 혹은 다음 회의까지 기다릴 것인가?

개입은 관찰된 문제에 대한 해석을 반영해야 한다. 개입은 일종의 실험으로 간주하여야 한다(자신과 조직원 모두 그렇게 인식해야 한다). 개입은 공동의 목적을 위한 것이어야 한다. 잘 구조화된 개입은 조직 미션 또는 현재 업무와 자연스럽게 연결되고, 조직원이 개입 안에 적절히 연결되어 있다고 느끼게 한다.

만약 연관성을 느끼지 못한다면 실행안은 효과가 없을 것이다. 좋은 개입은 조직에서 현실적으로 활용 가능한 자원을 고려해야 한다. 예를 들어 성과급을 50% 삭감한 후에 조직 전체가 참여하는 다양성 강화프로그램이나 업무성과 향상 코칭프로그램을 제시해서는 안 된다. 조직 내 위치에 따라 개입의 성공 여부가 달라질 수 있음을 인지해야 한다. 조직의 대표인지, 유일한 여성 직원인지, 신입 사원인지에 따라 해야 할 일이 다를 수 있다.

마지막으로, 자신의 역량과 자원을 고려해야 한다. 사용할 수 있는 역량과 기술이 많을수록 더 폭넓은 개입이 가능하고 더 나은 결과를 낳을 확률이 높다.

동시에 자신의 안전지대를 넘어서는 개입을 시도해보라. 도전과제를 해결할 때, 우리는 자신에게 익숙한 방식을 사용하는 경향이 있다. 아마 당신에게도 편하게 여기는 특정 방식들이 있을 것이다. 특정 방식을 자주 사용하면 조직원들도 리더의 방식에 익숙해지고, 리더의 개입은 점점 예측 가능해진다. 예측 가능한 것은 효과적인 리더십에 제약이 된다. 조직원들이 개입을 예측하고 피할 수 있기 때문이다. 예를 들어 리더가 감성을 자극하는 설득에 뛰어나다면, 조직원들은 이성적으로 대응하면서 리더의 강점을 발휘하지 못하게 할 수 있다.

안전지대를 넘어서는 개입을 실행하는 역량을 키우기 위해서는 연습이 필요하다. 하지만 이는 효과적으로 리더십을 발휘하는 데 매우 중요하다. 연습할수록 상황에 따른 맞춤 개입을 능숙하게 구상할 수 있고, 조직원들이 개입을 예측하고 거부하는 것이 어려워질 것이다.

실험하라, 위험을 영리하게 감수하면서

어댑티브 챌린지를 해결하는 중에 '지금 무슨 일이 벌어지고 있는가?'라는 질문에 답하기는 쉽지 않다. 성급하게 문제를 규정하는 것은 오히려 분쟁을 초래하기 쉽다. 불확실성을 다루기 위해서는 용기, 인내심, 실험 정신이 필요하다. 무엇인가를 시도하고, 어떤 일이 일어나는지 관찰하고, 이를 반영한 변화를 만들어 가야 한다.

실험 정신을 발현한다는 것은 적극적으로 개입을 구현하면서도 그 실행안만 고집하지 않는 것을 의미한다. 개입의 결과가 예상과 다르다 해도 방어하려 애쓰지 않아도 된다. 열린 태도는 생각하지 못했던 가능성을 가져다 준다. (벤저민 프랭클린과 토머스 에디슨의 발명품들이 전혀 다른 실험을 하는 도중 우연히 탄생한 것처럼) 실험적 사고는 배움을 준다. 틀릴 수도 있다는 가능성을 유연하게 받아들이게 되는 것이다. 결국 실험 정신은 '관찰-해석-개입'으로 반복되는 어댑티브 리더십 과정을 지속하도록 촉진한다. 즉 상황에 대한 해석을 기반으로 개입하고, 결과를 관찰한다. 관찰 결과에 따라 다음 단계로 이어지기도 하고, 가설을 수정하기도 한다.

상호 모순적 아이디어를 동시에 수용하는 것은 결혼을 결정하는 것과 비슷하다. 상대방과 일생을 함께하기로 하는 순간, 온전히 그 선택을 받아들이고 옳은 결정이라고 진심으로 믿어야 한다. 한편 다른 상황이었다면 다른 사람과 사랑에 빠졌을 수도 있다. 그렇다면 어떻게 이 사람이 '나에게 맞는' 유일한 사람이라고 확신할 수 있을까? 인생의 특정 순간에 특정 사람과 결혼을 결정할 때를 생각해보자. 반신반의한 상태로는 상대방을 배우자로 결코 확신할 수 없다. 어댑티브 리더십에서 개입을 결정하는 것도 이와 비슷하다. 긍정적 확신을 가지고 실험을 시작해야 한다.

미국의 소설가 스콧 피츠제럴드Scott Fitzgerald는 '가장 높은 단계의 지적 능력은 상반된 두 가지의 생각을 동시에 수용할 수 있을 뿐 아니라 그 상태에서도 여전히 잘 기능하는 것이다'라고 했다. 이 말을 어댑티브 리더십 관점으로 다시 설명해보자. 어떤 행동을 결정했다면 그 시점에서 그 행동이 전적으로 옳은 것이라고 믿어야 한다. 하지만 동시에 완전히 틀릴 수 있다는 가능성도 열어두어야 한다.

어댑티브 리더십은 의지뿐 아니라 기술과 역량도 필요하다. 기술적으로 잘 구조화된 개입은 조직의 생존 및 성공 가능성을 조금 더 높일 수 있다. 예를 들어 성공 가능성이 50% 정도인 개입을 제대로 구조화하면 성공 가능성이 60% 정도로 올라갈 수 있다. 이 책에서 소개될 도구와 전략들이 어댑티브 리더십의 성공 가능성을 높이는 데 도움이 될 것이다.

머리와 마음 모두를 사용하라

리더십은 의지와 기술 모두가 필요하다. 따라서 머리와 마음을 모두 사용해야 한다. 변화를 이끌겠다는 의지, 즉 용기 있는 마음, 정신, 영혼과 감각을 필요로 한다. 한편 기술은 새로운 역량 학습을 필요로 하는데, 이는 '진단'과 '개입'에 능숙해지도록 단련하면서 얻을 수 있다.

이는 다면적 지능－지적, 정서적, 영적, 신체적－의 융합으로 이해할 수 있다. 혹은 인간을 주관하는 세 영역－정신, 마음, 몸－의 협업으로 볼 수도 있다. 핵심 개념은 동일하다. 개인의 모든 요소, 즉 통합적 자아가 리더십에 요구된다.

어댑티브 리더십은 사람들의 가치, 믿음, 고민과 연결되어 있어야 한다. 진심이 없으면 연결되기 어렵다. 이는 어댑티브 리더십의 독특한 점이다. 어댑티브 리더십은 자신의 모든 면에서 자원을 끌어내 의지, 역량, 지혜를 발휘해야 한다. 그뿐 아니라 성공적 리더십을 위해서는 전인적으로 사람들과 교감해야 한다.

리더십은 논리로 답을 할 수 없을 때 필요하다. 어댑티브 리더십은 논쟁에서 이기거나 더 다양한 지식을 알려주는 것을 의미하지 않는다. 흡연 문제를 예로 들어보자. 친구가 담배를 끊지 못하고 있다. 대부분의 흡연자처럼 그도 흡연이 건강에 나쁘다는 것을 이미 잘 알고 있다. 담배 유해성에 대한 보고서, 흡연으로 손상된 폐 사진을 잔뜩 보여준다고 그의 행동이 변하지는 않을 것이다. 사실 그가 계속 흡연을 하는 이유는 마음과 연관되어 있다. 담배로부터 '결별'하기 위해서는 담배를 피우는 이유를 이해해야 한다. 흡연이라는 행위가 즐거움을 주는지, 걱정을 감소시키는지, 혹은 사랑하는 아버지를 떠오르게 하는지를 이해해야 한다.

리더십도 마찬가지다. 논리나 사실만으로는 설득되지 않는 사람들을 움직여야 한다. 그들은 이전과 다르게 행동하여 발생하는 위험을 감수하기보다는 현재 상황에 머무르기를 선호한다. 사람들을 움직이기 위해서는 마음을 움직여야 한다. 진심이 없다면 사람들 마음을 움직이는 것은 거의 불가능하다.

목적과 연결되라

직업적 성공과 금전적 이익이 희생되는 위험을 감수하면서까지 어댑티브 리더십을 추구하는 이유는 더 강렬한 목적이 있기 때문일 것이다. 그렇지 않다면 어댑티브 리더십을 실천할 필요가 없다. 어떤 목적이 그러한가? 위험을 감수할 정도로 가치 있는 목적인지 아닌지 어떻게 알 수 있을까? 목적을 성취하면 가치 있는 결과가 나올 것인가? 스스로 중요하게 여기는 가치와 목적을 정확히 알 때만 대답할 수 있는 어려운 질문들이다.

살아가는 이유와 일하는 힘이 되는 가치가 무엇인지 이해하고, 헌신할만한 목적을 확인하는 것은 용기 있는 시도다. 여기에는 선택이 필요하다. 충분히 타당한 여러 목적 중에서 한 두 가지를 선택하고 다른 목적은 희생해야 한다. 선택 과정을 통해 위험을 감수할 만큼 가치 있는 목적이 무엇인지 알 수 있다. 결국 무엇을 위해 살아가야 하는지 알 수 있다.

우리는 유치원에서부터 고등학교까지 다양한 교육기관의 사람들과 일한다. 교사, 관리자, 학부모, 교장, 행정직원, 교육위원은 각기 다양한 소명을 가지고 있다. 그들의 소명 의식은 개인적, 직업적 때로는 이념적이기도 하다. 그런데 이 신념들은 변화에 적응하기 위한 집단적 노력을 방해하기도 한다. 어려운 선택에 부딪힐 때면 이들은 공동으로 추구해야 할 목적을 종종 잊곤 한다. 즉 '다음 세대를 위한 교육'이라는 목적에서 벗어날 때가 있다. 그럴 때마다 '새로운 정책이 목적과 어떻게 연결되는가?' '학생들 교육에 어떻게 도움이 되는가?'와 같은 질문으로 이해관계를 조율해야 했다.

예를 들어 교사들은 다른 반 수업 참관을 통해 서로의 교수법을 개선할 수 있는데, 이를 위해서는 일정 정도 자율성을 포기해야 했다. 또한 교사들은 학부모를 교육에 참여시키는 방법에 대해 배운 적이 없음에도 불구하고 그런 방법을 찾아야 할 때가 있다. 이런 노력에 대한 별도의 지원이 없는 상황에서도 말이다.

목적이라는 개념은 조직에서 중요한 역할을 한다. 우리에게 컨설팅을 받았던 한 마케팅 회사의 예를 들어보자. 이 회사는 급속한 성장 이후 갈림길에 섰다. 회사는 업계 2위까지 성장했지만, 과거의 고속 성장이 회사의 미래를 보장하지는 못했다. 여러 질문이 제기되었다. '성장으로 누가 혜택을 받았는가?' '성장이 가능한가? 성장이 바람직한가?' '어느 영역에서 성장이 일어날 수 있는가?' 크리에이티브 팀과 영업팀 간의 갈등이 고조되었다. 두 팀 중 누가 성장에 기여했는지, 앞으로 어느 팀이 회사의 미래와 방향을 결정할지를 두고 논쟁했다. 회사는 엄청난 성장을 경험했지만 방향을 잃었다. 회사 경영진은 목적에 관한 대화를 다시 시작했다. 그 대화는 모두에게 불편했지만 회사의 다음 단계는 어떤 모습일지, 앞으로 지켜야 할 새로운 원칙은 무엇인지 명확하게 알 수 있었다.

공동의 목적을 정의하는 것은 어렵고 고통스러운 과정이다.

근본적인 이익을 위해 지엽적 이익을 희생해야 하기 때문이다. 하지만 이런 개선과 조율의 과정은 매우 가치 있다. 어려운 결정에 직면했거나 미래에 대한 전망이 좋지 않은 상황에서 무엇을 향해 달려가고 있었는지 상기하는 것은 서로에게 방향성과 인내심과 영감을 불어넣기 때문이다.

여정을 시작하기 전에

Before You Begin

어댑티브 리더십은 어렵고 고되지만 한편으로는 너무나 의미 있는 일이다. 어댑티브 리더십을 시도한다는 것은 무심코 시작할 수 있는 일은 아니다. 어댑티브 리더십 여정을 시작하기 전에 생각해 보아야 하는 네 가지 사항이 있다.

혼자 시작하지 말라

혼자 시작하지 말라는 말은 너무나 당연하게 들릴 수도 있다. 하지만 우리는 옳은 일을 시도했던 사람들이 결국 혼자 남게 되는 경우를 많이 봤다. 어댑티브 리더십의 길을 혼자 가는 것은 외롭기도 하지만 위험하기도 하다. 혼자서 변화를 시도할 경우 좋은 시도를 위협으로 여기는 사람들로부터의 공격에 취약해진다.

혼자서 변화를 시도할 때 맞게 될 위험이 너무 분명한데 왜 많은 사람이 혼자서 변화를 시도하는 것일까? 여기에는 세 가지 이유가 있다.

첫째, 변화를 반대하는 사람들의 여러 가지 전략 때문이다. 예를 들어 그들은 "당신의 생각에 동의하지는 않지만, 자신이 믿는 것을 위해 용기 있게 싸우는 당신을 존경합니다."라고 말할 것이다. 누가 이런 칭찬을 싫어하겠는가? 이런 칭찬에 기꺼이 혼자 일을 맡으며 조금씩 더 고립될 수 있다.

둘째, 지인들은 더 미묘한 방식으로 당신을 고립시킬 수 있다. 친한 동료들은 당신이 얼마나 헌신적인지, 맨 앞에 나서서 박수갈채 받는 것을 얼마나 즐기는지 잘 알고 있다. 그들은 속으로 '그가 자발적으로 빙판에 나가서 얼음의 상태를 확인하는군. 빙판이 단단한 것이 확실해지면 나도 따라가겠어'라고 생각한다. 당신이 얼어붙은 호수 가운데로 조금씩 나아갈 때마다 그들은 더 열심히 박수를 친다. 바로 뒤에서 그 소리가 들리는 것 같다.

하지만 뒤를 돌아보면 그들은 여전히 호수 가장자리에 있다. 그들은 당신을 따르는 것이 정말 안전한지 확신할 때까지 움직이지 않는다. 당신이 의욕을 잃지 않도록 이렇게 말하기도 한다. "당신이 오기 전까지는 아무도 이 문제를 이해하지 못했어요. 이런 문제에 관해 이야기하는 사람도 없었고요. 우리 모두 당신에게 큰 빚을 졌어요. 당신은 정말 없어서는 안 되는 사람이에요." 얼마나 듣기 좋은가? 당신은 이 말에 힘을 얻는다. 또 듣고 싶지 않은가? 그렇다면 얼음 가운데로 한 걸음 더 나아가야 한다. 이렇게 당신은 홀로 얼음판 가운데로 나아가면서 고립되어 간다. 이런 실수를 피하는 방법이 있다. 바로 자신 내면의 작은 소리에 귀를 기울이는 것이다. 누군가가 당신이 얼마나 대단한지 칭찬할 때 내면의 소리를 들어야 한다. '나도 내가 멋진 것은 알아요. 하지만 당신이 말한 것만큼 대단하지는 않아요.' 내면의 소리는 무엇인가 잘못되고 있다는 것을 알려주는 신호이다.

셋째, 홀로 남아 고군분투하게 되는 이유는 열정과 헌신 때문일 수도 있다. 변화를 이끌기 위해서는 자신이 하는 일에 반드시 신념을 가져야 한다. 하지만 신념이 약점이 될 수도 있다. 추구하는 대의명분에 지나치게 몰입하면 현실에서 일어나는 위험 신호를 감지하지 못할 수 있기 때문이다. 그렇게 되면 어댑티브 리더십은 실패로 끝나고 만다.

2012년 올림픽의 뉴욕 유치를 위해 핵심적으로 참여했던 사람과 대화할 기회가 있었다. 그는 올림픽 유치 실패로 분노하고 있었다. 그는 뉴욕을 사랑했을 뿐 아니라 9·11테러 사건 이후 뉴욕이 재건되기 위해서는 올림픽을 유치해야 한다고 굳게 믿었기 때문에 실패를 전혀 예상하지 못했다. 또한 그는 자신이 '명백하게' 생각하는 것들이 결정권자들에게는 그렇지 않았다는 사실을 감지하지 못했다. 결국 그는 한 걸음 뒤에서 상황을 판단하지 못했고 계획을 중도에 수정하지 못했다.

작은 시도(팀 회의에서 어려운 주제 제기하기)를 하든 큰 규모의 시도(올림픽의 뉴욕 유치)를 하든 절대 혼자 하지 마라. 위험을 함께 감수하고 나설 수 있는 협력자를 찾아라. 함께 힘을 모을 때, 저항하는 사람들의 공격을 효과적으로 피하고 계획을 계속 실행해갈 수 있다.

인생을 리더십 실험실처럼 살아라

일상에서도 어댑티브 리더십을 발휘할 기회가 있다. 가족, 직장, 지역 사회, 종교 공동체 등 다양한 곳에서 리더십을 발휘할 기회를 찾을 수 있다. 능동적으로 기회를 찾고 활용해보라.

　　대부분은 이런 기회를 그냥 지나치기 쉽다. 물론 논리적으로 합당하고 그럴 만한 이유가 있다. "저는 정말 너무 바빠요.", "아이 셋을 대학에 보내야 합니다." "이렇게 경기가 안 좋을 때는 현재 상황을 유지해야 해요." "저희 4형제는 1년에 몇 번밖에 모이지 않습니다. 부모님을 요양 시설에 모시자는 이야기로 분위기를 망칠 수 없습니다.", "지역 사회에 봉사하려고 비영리 단체에서 일하고 있어요. 단체가 미션을 실천하지 않고 있다고 생각하지만, 굳이 지적해서 문제를 일으키고 싶지 않아요.", "영적으로 성장하고 싶어서 교회에서 일하고 있어요. 교회에 수입보다 지출이 많다는 불편한 사실을 교인들에게 알리고 싶지 않아요. 어차피 제가 떠나고 나면 그들도 알게 될 거예요. 그냥 제가 헌금을 더 내려고 요. 그건 제가 할 일이니까요. 나머진 그냥 내버려 두고요."

이 책은 어댑티브 리더십의 기회를 찾고 활용하는 데 도움을 주기 위해 태어났다. 인생에서 가장 중요하게 생각하는 목적을 달성하는 데 도움이 되었으면 한다. 갑작스럽고 엄청난 변화를 기대하는 것이 아니다. 리더십을 발휘하는 시간을 하루 중 25%에서 75%로 늘리는 것을 바라지 않는다. 25%에서 30%로 늘리기만 해도 일상에 큰 변화가 생길 것이다. 개인적 삶과 사회생활 전반에 변화가 생기고, 가족, 직장, 사회에서 목적을 달성하는 데 영향을 미칠 것이다.

어댑티브 리더십을 발휘할 기회에 적절히 반응하기 위해서는 예전에는 그냥 지나쳤을 기회를 알아보는 능력이 필요하다. 매일의 일상, 모든 장소에 기회가 있다는 것을 인식하는 것에서부터 출발하라. 작고한 데이비드 브루드노이는 마티의 친구이자 보스턴 토크쇼의 진행자였다. 암으로 인해 죽을 고비를 한 차례 넘기고 난 후, 그는《인생은 예행연습이 아니다, Life is Not a Rehearsal》이라는 책을 집필했다. 이 책에서 그는 암을 통해 알게 된 깨달음,

즉 현재에 집중하여 인생을 살아가는 법을 알려준다. 인생을 예행연습이라고 여기든 또는 현재를 살아내는 것으로 생각하든, 리더십을 발휘할 기회는 그 자체로 학습의 기회다.

리더십은 실험적 예술이고 우리는 모두 최전방에 있다. 미래를 위한 예행연습이라는 생각과 현재를 살아내야 한다는 생각을 어떻게 조화시킬 수 있을까? 한 가지 방법은 인생을 리더십 실험실로 생각하는 것이다. 이 실험실에서 인생을 어떻게 의미 있게 살아갈 수 있을지, 인생의 중요한 목적들을 이루고 의미 있는 변화를 만들 수 있을지 끊임없이 학습할 기회를 얻는다. 인생을 리더십 실험실로 인식하면 자유롭게 시도하고, 실수하고, 필요한 기술을 연마할 수 있다. 무엇보다 노력한 결실을 얻는 것에 그치지 않고 그 모든 과정에서 즐거움을 느낄 수 있을 것이다.

"초보와 명인의 차이점은 명인이 훨씬 더 많이 연습한다는 것이다." - 예후디 메뉴인Yehudi Menuhin, 바이올리니스트

성급하게 행동하지 마라

어댑티브 리더십을 직관적이고 즉각적으로 이해할 수 있는 사람
도 있지만, 대다수에게는 오랜 성찰이 필요하다. 리더십의 표본으
로 꼽히는 넬슨 만델라, 간디, 마틴 루터 킹, 테레사 수녀와 같은
인물은 실천적인 리더였을 뿐만 아니라 수준 높은 성찰가였다.

특히 조직이 스트레스와 위기 상태에 있을 때는 빨리 행동을
취해야 한다는 압박이 증가한다. 압박은 많은 사람의 행동에 영향
을 미친다. 무엇을 할지 전혀 감을 잡을 수 없으면서도 '뭐라도 해
보라'는 요구를 따라야 한다는 압박을 강하게 느낀다. 아마 당신
도 이런 경험이 있을 것이다.

물론 위급한 상황을 관리하는 것은 필요한 역량이다. 불이
난 건물에 사람들이 갇혔을 때 생명을 구하는 것은 어떤 노력보다
중요하다. 그러나 어댑티브 리더십은 화재에서 사람들을 구하는
것과는 전혀 다르다. 그 과정은 매우 어렵고 위험하다. 어댑티브
챌린지를 해결해야 하기 때문이다. 어댑티브 챌린지는 설명하거
나 정의하기 어렵고, 사람들에게 새로운 방식의 해석을 요구할 뿐
아니라 기존의 우선순위와 행동 양식에 의문을 던진다. 변화를 이
끄는 과정에서 현 상태는 흔들리고 불안정해지기 때문에 저항 세
력에 둘러싸일 가능성이 크다.

어댑티브 챌린지를 제대로 살펴보기 위해서는 시간과 성찰이 필요하다. '뭐라도 해야 한다'는 압박에 대항하고, 문제 진단에 더 많은 시간을 사용하라. 진단에 더 많은 시간을 할애하는 것이 견디기 어렵고 불편할지라도 그렇게 하라. 자신의 역량을 평가하고 자신의 개입이 적합할지 아니면 다른 이의 개입이 적합할지 결정하라. 시간을 내서 자신과 조직에 일어날 수 있는 위험 요소들을 적고, 감수할만한 위험인지 자신에게 질문해야 한다.

어려운 선택에서 새로운 즐거움을 발견하라

리더십을 발휘하는 것은 개인에게 고된 과정이다. 스스로 힘겨운 적응 과정을 매번 거쳐야 하기 때문이다. 적응은 왜 복잡하고 힘든가? 적응이란 바로 '무엇이 가장 본질적인지 판단하고, 보존해야 할 것을 선택하고, 가치 있는 것 중 포기해야 할 것이 무엇인지 결정하는 과정'이기 때문이다. 이것은 어려운 선택이다. 가장 중요한 것을 보존하는 동시에, 지금까지 소중하게 생각했던 것들―관계, 가치, 생각, 정체성 등―과 결별해야 하기 때문이다.

마티는 자녀들과 떨어져 지내는 자신의 상황에 비유해 변화 적응의 어려움을 설명했다. 이혼을 경험해봤다면 이 비유를 바로 이해할 수 있을 것이다. 자아실현이 중요한 가치라고 믿고 있다고 해보자. 하지만 동시에 자녀들에게 상처 주는 일은 절대 하지 말아야 한다고도 믿고 있다. 이 두 가치는 모두 동일하게 중요하다.

하지만 이혼을 결심한 순간 우선순위는 달라진다. 둘 중 하나는 더 중요하게 되고, 다른 하나는 뒷순위가 된다. 이 선택을 하는 순간 가족이나 주변 사람들의 시선이 달라지거나 평판에 영향이 있을 수 있다. 고통스럽지만 한편으로는 자신을 드러내고 자유로워지는 과정이기도 하다.

인생에서 더 중요하게 여기는 것 때문에 리더십을 발휘하지 않기로 선택할 수도 있다. 자신의 가치와 선택을 인식하고 인정하는 것은 소크라테스가 그토록 중요하게 여겼던 '자기 이해self-knowledge'에 한 걸음 더 다가서는 것이다. 자신이 선택한 것들에 책임을 질 때 자신을 조금 더 이해하게 된다. 선택은 소중하게 생각하는 가치를 선택해 나아가는 것이지 옳고 그름의 문제가 아니다. 선택 자체는 고통스럽지만, 선택의 순간을 통해 자신을 조금 더 알게 된다.

무엇을 말하는지가 아닌 어떤 행동을 하는지를 보면 자신을 가장 잘 알 수 있다. 자신이 정말 믿고 있는 것이 무엇인지 알 수 있는 방법이 있다. 믿고 있는 가치와 또 다른 가치—중요하다고 말만 하는 가치—가 충돌하는 상황을 관찰하면 된다. 어떤 가치를 중요하다고 말하지만 다른 가치에 밀려서 한 번도 행동으로 실천해본 적이 없다면 그 가치를 진심으로 믿고 있는 것이 아니다. 어떤 가치를 실제로 실천하는 사람들보다 말로만 중요하다고 이야기하는 사람들이 더 많다. '전 세계의 기아를 퇴치할 수 있다고 믿습니다' '환경보호를 지지합니다'라고 말하는 것을 넘어 실제로 행동할 때 신념을 확인할 수 있다. 예를 들어 비슷한 관점을 가진 정치인에게 투표하거나, 자선 단체에 기부하거나, 환경보호를 위해 전기를 절약하는 등 실제적인 행동에서 가치와 신념이 드러난다.

한편 충성심이 어떻게 일상의 가치와 신념을 형성하는지 예를 들어 보자. 우리의 한 친구는 중국 음식을 전혀 먹지 않으면서도 중국 음식을 좋아한다고 20년 동안 믿고 있었다. 하지만 어느 날 친구들이 중국 음식점에 가자고 했을 때 그는 "다른 곳으로 가자. 나는 중국 음식을 정말 안 좋아해"라고 말하는 자신을 발견하고 깜짝 놀랐다. 왜 그는 중국 음식을 좋아한다고 생각했던 것일까? 중국 음식을 좋아한다고 믿었던 것은 가족을 향한 충성심 때문이었음을 알게 되었다. 어릴 적 그의 가족은 일요일 저녁마다 중국 음식점에 가곤 했다. 말하자면 그것은 일종의 가족 의식family ritual이었다. 중국 음식을 좋아하지 않는다고 인정하는 것은 가족 관습을 비판하는 것처럼 느껴졌기 때문이다. 이처럼 어떤 신념이나 관습을 고수하는 것은 신념이나 관습 자체가 중요해서 라기보다는 그 신념과 관습이 생긴 과정이 자신과 연관되어 있기 때문일 경우가 많다.

만약 어댑티브 리더십을 더 많이 연습하기 원한다면 과거와는 다른 선택을 해야 한다. 새로운 선택을 한다는 것은 기존의 책임과 약속을 어기게 될 수 있다는 걸 의미한다. 그동안 중요하다고 말해온 것들을 앞으로는 지킬 수 없게 될 수도 있고, 위험을 감수해야 할 수도 있다. "하루에 한 번씩 '아니오'라고 분명하게 말할 수 있을 때 어른이 된 것이다"라는 말이 있다. 무엇인가에 대해 확실하게 '아니오'라고 말하는 것은 명확한 방향을 드러내는 행동이고, 자신을 더 깊게 이해하는 과정이며, 아무리 어렵다 하더라도 무엇인가를 추구하겠다는 헌신의 표현이다. 자신만의 목적을 추구하는 선언을 통해 새로운 기쁨을 발견할 수 있다. 변화를 위해 포기해야 하는 것들로 인한 슬픔을 대신해 새로운 기쁨을 얻게 될 것이다.

용어 해설

이 책의 저자들은 라일리 신더, 딘 윌리엄스와 함께 지난 25년간 아래의 용어들에 대해 정의하고 수정해왔다. 사실 이 정의는 확정적이라고 할 수는 없다. 하지만 리더십이라는 개념과 실행에 대해 깊이 있고 포괄적으로 사고하는 데에는 매우 유용하게 사용될 것이다.

갈등 조율하기 orchestrating the conflict
서로 다른 이해관계자가 생산적으로 일하도록 과정을 기획하고 이끄는 것으로 서로의 차이를 없애는 것과는 다르다.

개인 리더십 과업
personal leadership work
어댑티브 리더십을 더 효과적으로 수행하기 위해 자기 자신에 대해 알고 관리하는 것을 말한다.

개입 intervention
변화 적응적 과업 해결을 위해 사람들을 움직이는 일련의 행동들 또는 특정 행동을 뜻한다. 의도적으로 아무 행동을 하지 않는 행위도 개입으로 간주한다.

공식적 권한 formal authority
조직에서 기대하는 업무를 달성하도록 부여된 명확한 권력으로, 직무 기술서에 혹은 법적으로 명시되어 있다.

과업 돌려주기 giving the work back
변화 적응적 과업에서 타인의 문제를 대신 해결해주는 것이 아니라, 그들 자신의 몫을 해낼 수 있도록 과업을 돌려주는 행동이다.

과업 회피 work avoidance
의식적 혹은 무의식적 행동 유형으로, 어댑티브 챌린지를 해결하고 나아가는 것은 외면한 채, 사회적 안정 상태만을 회복하기 위해 관심을 분산시키거나 책임을 다른 데로 돌리는 행위를 말한다.

관찰 observation
객관적인 관점을 유지하면서 가능한 많은 정보원을 통해 관련 자료들을 모으는 것이다.

관행 default
일에 대한 일상적이고 습관적 반응으로 되풀이해서 일어난다.

권한 authority

조직에서 업무 수행에 대한 대가로 위임된 공식적 또는 비공식적 권력이다. 권한을 가진 사람들은 다음과 같은 기본적 업무 또는 사회적 기능을 수행한다. ① 방향 설정 ② 보호 ③ 질서 유지

권한의 경계에서 춤추기
dancing on the edge of your scope of authority

자신에게 주어진 공식적 혹은 비공식적 권한의 경계선 가까이에서 혹은 그것을 넘어서 행동하는 것을 말한다.

권한의 범위 scope of authority

권한을 위임받은 사람이 제한된 권력을 가지고 할 수 있는 일련의 업무들을 말한다.

권한이 없는 리더십
leadership without authority

공식적 혹은 비공식적으로 주어진 권한 없이 변화적 과제 해결을 위해 사람들을 움직이는 것을 말한다. 예를 들어 경영진에게 예상치 못한 질문을 한다거나, 조직원들이 당신에 대해 갖는 기대에 도전한다거나, 조직 외부의 사람들을 참여시킨다거나 하는 식이다. 권한이 없는 리더십 또한 자원을 확보하기도 하고 제약을 경험하기도 한다.

권한이 있는 리더십
leadership with authority

권한을 가지고 변화적 과제 해결을 위해 사람들을 움직이는 것을 말한다. 권한은 리더십 발휘에 있어 자원을 확보하기도 하지만 제약도 있다.

기술적 과업 technical work

현재까지 알려진 전문 지식, 방법론, 문화적 규범들을 사용하거나 이를 조합하여 문제를 정의하고 해결하는 것을 말한다.

기술적 문제 technical problem

일반적으로 이미 알려진 방법과 절차들을 적용하여 진단하고 단기간에 해결할 수 있는 문제를 말한다. 기술적 문제들은 권위 있는 전문 지식이나 통상적인 해결 과정을 적용하여 해결할 수 있다.

대역폭 bandwidth

자신이 편안하다고 느끼고 충분히 해낼 수 있다고 생각하는 역량의 범위를 말한다.

동인 tuning

개인 고유의 심리적 특징으로 세계관과 정체성의 기반이 되는 충성심, 가치, 관점 등을 포함한다. 개인적 특징은 외부 자극에 대해 의식적 혹은 무의식적, 생산적 혹은 비생산적인 반응을 일으킨다.

마음 below the neck

인간의 비지성적 능력으로 정서적, 영적, 본능적, 반사적 운동 능력 등을 포함한다

말 속에 감춰진 노래
song beneath the words

사람의 말 속에 암시적으로 숨겨져 있는 의미로 몸짓, 어조, 목소리의 강약, 단어 표현 등을 통해 나타난다.

망가진 조직이라는 착각
illusion of the broken system

모든 조직은 현재 모습에 이르도록 구조화되어 있다. 조직의 현재는 조직원들—적어도 기득권자들—이 암묵적, 명시적으로 내린 결정들의 산물이다. 사람들은 조직이 망가졌기 때문에 변화가 필요하다고 생각하지만 위와 같은 이유로 망가진 조직이란 없다. 망가진 조직이란 개념은 현재 조직원들의 역할과 축적해온 기능들을 무시하는 것이다.

목적 purpose

조직 및 정치 활동들에 의미 있는 지향점을 제공하는 전체적인 방향을 일컫는다.

무도회장 dance floor

행동이 일어나는 곳으로 마찰, 잡음, 긴장 및 조직적 활동이 일어나는 곳이다. 궁극적으로 문제가 해결되어야 하는 곳이다.

묵살 assassination

숨기고 싶은 문제를 드러내는 사람들의 의견을 (인신공격 등을 통해 무시하거나 무력화시키는 것이다.

문제가 무르익음 ripeness of an issue

이해관계자들 사이에서 문제의 긴박성이 일반화되면서 문제를 해결할 이해관계자들이 준비된 상태를 말한다.

물 나르기 carrying water

다른 사람의 일을 대신해서 하는 것을 말한다.

믿을 만한 사람 confidant

타인의 관점 및 이슈보다는 성공과 행복을 위해 함께하는 사람을 말한다.

반대파 opposition

당신의 의견이 받아들여질 경우 위협을 느끼거나 손실을 경험하게 될 그룹을 일컫는다.

발코니에서 바라보기
getting on the balcony

거리를 두고 바라보는 것을 말한다. 문제가 소용돌이치는 무도회장에서 벗어나는 정신적 행동으로 자신과 시스템을 관찰하고 이해하기 위한 것이다. 무도회장 안에서는 보이지 않는 경향들을 볼 수 있다.

방 안의 코끼리 이야기하기
naming the elephant in the room

변화 적응적 과업 해결에 있어 중요한 이슈임에도 불구하고 안정 상태를 유지하고자 무시되어온 문제를 거론한다.

방 안의 코끼리 elephant in the room
조직 혹은 공동체에 존재하는 문제로, 모두가 알고 있지만, 공개적으로 논의하지 않는 어려운 문제를 말한다.

번성하라 thrive
고귀한 가치를 추구하며 살아가는 것이다. 이를 위해서는 변화에 적극적으로 대응해야 한다. 본질적인 것과 버려야 할 것을 구분하고 혁신을 통해 과거로부터 가장 좋은 것을 취해 미래로 가져갈 수 있어야 한다.

변화 적응 역량 adaptive capacity
변화에 대한 압박이 높아지고 그로 인한 불안정한 상태가 지속하고 있을 때, 문제를 정의하고 해결하는 데 참여하는 조직원의 회복 탄력성과 조직의 역량을 말한다.

변화 적응 adaptation
변화에 성공적으로 적응하게 되면 생물 유기체는 새롭고 도전적인 환경에서도 번성할 수 있다. 변화 적응 과정은 보수적이면서 진보적이다. 이는 과거의 전통, 정체성, 역사로부터 최선의 것을 취하여 미래로 나아가기 때문이다.

변화 적응적 과업 adaptive work
지속적인 불안정 상태에서 조직원이 보존하거나 처분해야 할 문화적 유전자는 무엇이고, 새롭게 개발하거나 발견해야 하는 유전자는 무엇인지 확인하여 조직이 새롭게 번성하도록 하는 것이다. 즉 조직원들이 성공적으로 변화에 적응해가는 학습 과정이다.

변화 적응적 문화 adaptive culture
변화 적응적 문화는 적어도 다섯 가지 행동을 포함한다. ①방 안의 코끼리를 거론한다. ②조직의 미래에 대한 책임을 공유한다. ③독립적 판단을 가치 있게 여긴다. ④리더십 역량을 개발한다. ⑤ 성찰과 지속적 학습을 구조화한다.

분파 faction
조직 내 나뉘어 있는 그룹으로 ①관습, 권력 관계, 충성심 및 이해관계 등 동일한 관점을 가지고, ②상황을 자신들에게 유리하게 분석하는 방식과 내적 논리 체계를 가지고 있다.

분파 지도 faction map
변화 적응적 도전과 관련된 분파를 묘사한 다이어그램으로, 각 분파가 현재 위치에 이르도록 한 충성심, 가치, 손실 등을 나타낸다.

불안정 상태 disequilibrium
변화적 과제로 인한 긴박함, 갈등, 불협화음, 긴장의 정도가 증가하면서 안정성의 부재 상태를 일컫는다.

불안정 상태로 들어가기
living into the disequilibrium

불확실, 무질서, 갈등, 혼란 등의 상태로 사람들을 천천히 몰고 가는 점진적 과정이다. 사람들을 압도하는 속도와 수준은 아니지만, 안전지대에서 끌어내 변화적 과제 해결에 참여하도록 만든다.

비공식적 권한 informal authority

어떤 역할을 기대하며 암묵적으로 위임한 권력을 뜻한다. 예의범절과 같은 문화적 규범을 나타내거나 특정 사회적 움직임에 대한 열망을 대표하도록 도덕적 권위를 부여하는 방식으로 사용되기도 한다.

비난을 도맡는 사람 lightning rod, 희생양

집단 내 분노 또는 좌절의 대상이 되는 사람으로 개인적 공격을 자주 받는다. 골치 아픈 조직의 문제로부터 주의를 분산시키고 다른 누군가의 책임을 전가하는 데 이용된다.

사회 시스템 social system

상호 의존적이기 때문에 서로 영향을 주고받는 역학과 특징이 있고, 공통의 도전을 가지고 있는 집단을 말한다(소그룹, 조직, 조직들의 네트워크, 국가 또는 세계.

생산적 불안정 구역
productive zone of disequilibrium

적정 스트레스가 존재하는 범위를 일컫는다. 변화에 대한 긴박성이 있을 때 이 범위 내에서 변화 적응적 과업이 일어난다. 스트레스가 너무 적으면 현실에 안주하려는 경향을 보인다. 반면,, 너무 많으면 압도되어 공황 상태에 빠지거나, 조직 내 희생양을 만들거나, 묵살 등의 심각한 과업 회피 유형을 보일 수 있다.

선조 ancestor

한 사람의 정체성을 형성하는 데 영향을 미친 이전 세대의 가족 또는 공동체 구성원을 일컫는다.

성급하게 행동하기 leap to action

습관화된 일련의 반응으로 불안정한 상태에 성급하게 대응하는 관행적 행동이다.

실험 정신 experimental mindset

변화적 과제를 하나의 해결책으로 다루지 않고, 가설을 검증하고, 결과를 관찰하고, 학습하고, 중간수정을 하고, 필요하면 다른 방식으로 시도하는, 반복적 과정으로 접근하는 자세를 일컫는다.

안아주는 환경 holding environment

변화 적응적 과업이 유발하는 갈등 속에서도 구성원들이 서로를 포용하는 관계 및 사회 시스템의 속성들로, 친밀감과 애정, 상호 합의한 규칙, 절차 및 규범, 공동 목적 및 가치, 전통, 언어, 의식, 변화 적응적 과업에 대한 이해, 권위에 대한 신뢰 등이 있다. 안아주는 환경은 조직의 정체성을 부여하고 복잡한 현실과 씨름할 때 발생하는 갈등, 혼돈, 혼란을 방지한다.

압력솥 pressure cooker

변화 적응 과정에서 생기는 불안정 상태를 충분히 견디도록 해주는 '안아주는 환경'을 말한다.

어댑티브 리더십 adaptive leadership,
변화 리더십

변화 적응적 과업을 위해 사람들을 행동하게 하는 활동이다.

어댑티브 챌린지 adaptive challenge,
변화 적응적 도전

번성을 위해 사람들이 추구하는 가치와 가치를 실현할 역량 부족으로 인해 직면한 현실 사이의 격차를 말한다

역량 목록 repertoire

개인이 편안함을 느끼고 충분히 활용할 수 있는 역량들의 범위이다.

역학 관계를 이해하고 행동하라
act politically

변화를 이끌기 위해서는 이해관계자들의 충성심과 중요하게 여기는 가치를 이해하고, 이를 이용해야 한다. 모든 사람은 공식적 혹은 비공식적인 일련의 충성심 및 기대, 압박 등에 따라 행동하게 된다.

역할 role

사회 시스템에 존재하는 일종의 기대로, 개인 및 집단이 마땅히 해야 한다고 여겨지는 일들을 정의한다.

온도 조절하기 regulating the heat

조직 내의 긴장을 높이거나 낮추면서 생산적 불안정 구역 내에서 머무르는 것이다.

온도 측정하기 taking the temperature

조직이 현재 얼마나 불안정한지를 측정하는 것이다.

욕구 hunger

인간은 일반적으로 ①권력 및 통제 ②지지와 인정 ③친밀감과 즐거움을 성취하고자 한다.

용기 있는 대화 courageous conversation
우선순위와 가치가 충돌할 때 이를 해결하면서 동시에 관계도 잘 유지할 수 있도록 구조화된 대화를 말한다.

의식 ritual
공동체의 동질감을 조성하는 데 기여하는 상징적 행위를 말한다.

머리와 마음을 모두 사로잡기
engaging above and below the neck
이끌고 있는 사람들과 모든 차원에서 연결되는 것이다. 자신의 모든 인격과 속성을 리더십 발휘에 헌신하는 것이기도 하다. 머리above the neck는 지적인 영역으로 논리와 사실을 다룬다. 마음below the neck은 정서적 영역으로 가치, 신념, 습관적 행동 및 반응 유형을 다룬다.

일의 속도 조절하기 pacing the work
사회적 시스템이 어느 정도의 동요를 견딜 수 있는지 측정하고, 복잡한 과제를 세부적으로 나누어 사람들이 소화할 수 있는 속도로 배치하는 것을 말한다.

자신만의 목소리 찾기 finding your voice
문제를 효과적으로 표현하고, 목적이 담긴 이야기를 전달하고, 영감을 주는 도구로써 자신을 최대한 활용하는 법을 찾아가는 과정을 말한다.

자신을 효율적으로 활용하기
deploying yourself
자신의 역할, 역량, 정체성을 신중하게 관리하는 것을 말한다.

전형적 오류 classic error
변화적 과제를 기술적 문제로 여기는 것을 말한다.

진전 progress
급격하게 변하는 환경에서 시스템의 성공적 번성을 위해 새로운 역량을 개발하는 것이다. 집단, 공동체, 조직, 국가 및 세계의 상태가 개선되도록 이끄는 사회적, 정치적 학습 과정을 의미한다.

집중 attention
리더십의 핵심 자원이다. 계속되는 불안정한 상태에서도 변화를 이끌기 위해서는 까다로운 질문들을 통해 사람들의 참여를 유지할 수 있어야 한다.

파트너 partners
협력자가 되어주는 개인이나 그룹으로 믿을 만한 사람을 포함한다. '협력자ally' '믿을 만한 사람confidant'을 참조하고 둘 사이의 차이점을 확인하라.

피난처 sanctuary

자신을 새롭게 할 수 있는 특정 장소 혹은 일련의 행동들을 말한다.

피해자 casualty

변화를 이끄는 과정에서 생기는 부산물로, 잃게 되는 사람, 역량 혹은 역할을 일컫는다.

해석 interpretation

상황을 이해하기 위해 행동 유형들을 파악하는 것을 말한다. 해석이란 이해하기 쉬운 사고 방식과 이야기 구조를 적용하여 가공되지 않은 정보들을 설명해가는 과정이다. 대부분의 상황은 다양한 해석이 가능하다.

현실성 실험 reality testing

상황에 대한 자료와 해석을 비교하는 과정으로, 어떤 자료나 해석이 혹은 어떤 해석의 조합이 가장 많은 정보를 포함하고 상황을 가장 적절하게 설명하는지 가려내는 것이다.

협력자 ally

공동체 내에서 특정 이슈에 대해 같은 입장을 가진 조직원을 일컫는다.

회복 탄력성 resilience

계속되는 불안정 상태를 견디어 내는 개인의 역량 및 안아주는 환경의 역량을 일컫는다.

흔들리지 않기 holding steady

자기방어를 위해서가 아니라, 행동해야 할 적합한 때를 위해 관점을 유지하는 것이다. 변함없는 태도를 유지하면서, 문제 해결에 저항하는 사람들의 압력과 거부에 인내하는 것이다.

Adaptive Leadership
어댑티브 리더십
1부 발코니에 올라 - 변화를 이해하라

초판 1쇄 발행 2017.07.15
개정판 1쇄 발행 2022.08.25

지은이 로널드 A. 하이페츠, 알렉산더 그래쇼, 마티 린스키
옮긴이 진저티프로젝트 출판팀
번역검수 김남원, 전혜영
감수 강진향, 서현선, 안지혜
교정교열 고가은, 김영재, 김윤수, 최예은
디자인 정선은
마케팅 홍승현
인쇄 북토리 | 이광우

발행인 김고운, 홍주은
발행처 (주)진저티프로젝트
주소 서울 마포구 양화로 12길 8-5 세르보빌딩 2층
홈페이지 www.gingertproject.co.kr
이메일 info@gingertproject.co.kr
인스타그램 @gingertproject

ISBN 979-11-976714-5-6 (04320)
ISBN 979-11-976714-4-9 (세트)

The Practice of Adaptive Leadership
 : Tools and Tactics for Changing Your Organization and the World
Copyright 2009 Cambridge Leadership Associates
All rights reserved.

This korean translation copyright 2017 GingerTProject Co., Ltd.
This korean edition was published by GingerTProject Co., Ltd.
by arrangement with Harvard Business Review Press through KCC.

이 책의 한국어판 저작권은 한국저작권센터(KCC)를 통해 저작권자와 독점 계약한
(주)진저티프로젝트에 있습니다.

저작권법에 의해 한국 내에서 보호를 받는 저작물이므로 무단전재와 무단복제를
금합니다.